Heridas del Alma

CARROLL THOMPSON

Dedicado a Jude, quien sufrió grandemente y amó mucho.

*

ÍNDICE

INTRODUCCIÓN

El propósito de este libro es ilustrar, para nuestros días, la profecía de Isaías 61:1-3:

"El Espíritu del Señor está sobre mí, por que me ungió el Señor; me ha enviado a predicar buenas nuevas a los abatidos, a vendar a los quebrantados de corazón, a publicar libertad a los cautivos, y a los presos apertura de la cárcel; a proclamar el año de la buena voluntad del Señor, y el día de venganza del Dios nuestro; a consolar a todos los enlutados; a ordenar que a los afligidos de Sión se les dé gloria en lugar de ceniza, óleo de gozo en lugar de luto, manto de alegría en lugar del espíritu angustiado; y serán llamados árboles de justicia, plantío del Señor, para gloria suya".

Esta profecía fue escrita por causa de aquéllos que están abatidos y quebrantados de corazón y cautivos por sus propias heridas. La promesa para quienes reciben al Señor es belleza, gozo, gloria y fortaleza. Este libro muestra cómo puede uno recibir liberación y sanidad en el Señor Jesús. Es mi oración llegues a recibir todo lo que El te ha prometido.

Todos los nombres que aparecen en este libro han sido cambiados con el fin de proteger la identidad de las personas cuyas experiencias se relatan.

Capítulo 1
El Enemigo que Hiere

Mientras dormía, fui agitado por un sueño extraño. A través de una puerta abierta podía ver varias serpientes arrastrándose alrededor, y mientras observaba, una de ellas entró a la habitación en donde yo permanecía de pie. A mi derecha, noté que un pequeño bebé se acercaba a la serpiente. Cuando vi a ésta volverse al pequeño, me di cuenta de que la situación era desesperada. Tomé una herramienta de jardín, empujé a la serpiente hacia atrás y con la otra mano sujeté al niño, luchando para mantener a los dos alejados. En medio de este esfuerzo, desperté y descifré el significado del sueño. Descubrí que era un aviso de Dios en el sentido de que Satanás intentaría herir a nuestro quinto hijo que estaba pronto a nacer.

Pero, el hecho que nuestro enemigo existe, no está basado en sueños. Su existencia es tan antigua como la historia del hombre. En el jardín de Edén, él apareció en forma de serpiente engañando al primer hombre y mujer. Su interés desde el comienzo ha sido destruir totalmente la creación de Dios. La batalla comenzó en el Huerto.

Dios confirmó esta lucha sin fin cuando dijo: "Y pondré enemistad entre ti y la mujer, y entre tu simiente y la simiente suya; ésta te herirá en la cabeza, y tú le herirás en el calcañar" (Génesis 3:15). Existiría continua enemistad y hostilidad. La simiente de la mujer, refiriéndose directamente a Cristo, heriría a la serpiente en la cabeza y ésta en cambio, heriría Su talón.

Satanás tiene el oficio de herir. El inyecta ciertos elementos destructivos en el sistema emocional de un individuo, infligiendo heridas que pueden durar toda la vida. Los elementos no son detectables en un comienzo, pero eventualmente el enemigo crea un lugar desde el cual pueda oprimir y controlar la vida de un individuo. En el área emocional, estos elementos pueden describirse como rechazo, amargura, odio, inseguridad, temor, etc. En el área espiritual del hombre, Satanás obra a través del orgullo, el egoísmo, rebelión, etc. Si Satanás puede obtener un lugar en las emociones de una persona, él bien puede controlar la vida entera de ese individuo. El ser espiritual del hombre describe su misma naturaleza, lo que él es por elección. Sin embargo, el ser emocional se forma sin su conocimiento consciente o elección. Puede ser hecho víctima, herido y atado emocionalmente por otros a quienes el enemigo usa como instrumentos. Los inocentes son sus víctimas.

Satanás es un ser espiritual y su hogar es la naturaleza espiritual. El hombre es también un ser espiritual, de modo tal que el enemigo tiene acceso por esta vía. Al tratar con los problemas humanos, encontramos que son primordialmente de naturaleza espiritual. El cuerpo se incorpora al espíritu del hombre y llega a ser el vehículo de las expresiones, acciones y deseos del espíritu. Se hace referencia a él en las Escrituras como *"el cuerpo de muerte" (Romanos 7:24)*, indicando el principio espiritual de muerte y pecado que actúa en el cuerpo. El término "carne" es empleado en relación con los principios de lascivia y pecado en los escritos de Pablo. Así, concluímos que la parte física del hombre es un factor que se relaciona de manera relativamente insignificante con sus problemas, debido a que es primordialmente un ser espiritual y sus problemas son de naturaleza espiritual.

Las heridas emocionales que Satanás provoca, a menudo contribuyen a los variados problemas espirituales del hombre.

¿Cuáles son algunas maneras en que Satanás causa estas heridas? A continuación se presentan casos a este respecto.

Capítulo 2
Los Inocentes son Víctimas

El suyo fue un nacimiento no deseado. Rechazo fue todo lo que Susana conoció desde un principio. La vida pudo haber sido buena en su pequeño pueblo: amigos de juego, un hermano a quien ella amaba, abuelos que la querían mucho, pero el enemigo parecía haber planeado una vida de rechazo, culpa, odio y temor.

Susana experimentó los deseos naturales de un niño: recibir el amor de un padre y una madre, y tener la seguridad de un hogar. Pero éstos le fueron arrebatados de sus manos tan pronto como comenzaron los problemas en el hogar; el odio y la separación llenaron la casa. Ella conoció solamente castigos despiadados y cruel reprensión de su madre, al mismo tiempo que era ignorada por su padre. Muchas veces, la pequeña niñita se arrastraría escondiéndose para curar sus heridas y recuperarse de un ataque de ira. No había paz en la familia. Más bien, una cierta nube amenazante la ensombrecía, esperando el momento oportuno para prorrumpir en destrucción.

Al menos, ella tenía sus amigos de juego y su hermano. Una orden repetida con frecuencia era: «No vayas cerca del río». Como todo niño, los compañeros de juego olvidaron fácilmente la orden y jugaban junto al río. Pronto caminaban en la orilla y luego se dejaron llevar por las aguas más profundas. La veloz corriente los empujó lejos. Susana, su hermano y tres amigos consiguieron salir del río, pero su amigo más querido se ahogó. La furia de sus padres, que cargaron sobre ella toda la responsabilidad del accidente, le causó tan profunda culpa y remordimiento por la muerte de su amigo, que Susana comenzó a odiarse a sí misma.

Ella y su hermano fueron puestos en un internado, después que su madre dejó el hogar. Era época de guerra y su padre se incorporó al ejército. Cada día estaba lleno de temor y soledad.

La rebelión, la desobediencia y el castigo se sucedían interminablemente, hasta que todo llegó a ser insoportable. Un día, el hilo del que pendía la vida de Susana se cortó con la noticia de que su abuelo había muerto. El era la única persona cercana a quien conocía y que realmente la amaba, pero ahora ya no estaba. La vida llego a su fin para esta pequeña de ocho años, y ella comenzó a planear como huir del internado. Pero no podía escapar de las profundas heridas y del dolor en su alma.

De ser rechazada pasó a rechazarse a sí misma; habiendo recibido odio, comenzó a odiarse a sí misma y a los demás; habiendo recibido culpa, ella empezó a sentirse culpable por todo. Después de algún tiempo, llegó al punto del desaliento total e intentó el suicidio. Fue el momento cuando Dios la salvó de la muerte y comenzó Su obra de restauración.

Las verdades compartidas en este libro surgieron por ayudar a Susana y a otros que, como ella, llegaron a encontrar sanidad en el Señor Jesús.

El individuo herido emocionalmente, cabalga sobre una montaña rusa de emociones que le lleva desde elevados éxtasis a profundas depresiones, constantemente está levantándose y cayendo, dejando tras de sí una estela de depresión, miseria, temor, frustración y ansiedad. De esta amplia fluctuación de sentimientos difíciles de controlar, surge inestabilidad emocional.

¿De dónde provienen estas emociones? ¿Por qué ocurren? ¿Qué se puede hacer al respecto? ¿Debe uno ser atormentado por ellas toda la vida? Estas interrogantes surgen cuando uno se esfuerza por actuar con madurez tratando de ser el hombre o la mujer que la sociedad espera que sea. El conflicto interno continúa implacablemente, hasta irrumpir de manera que afecta relaciones interpersonales y crea problemas.

Los conflictos emocionales internos, generalmente se manifiestan como problemas de relación interpersonal. ¿Tienes temor de la gente? ¿Estas acarreando sentimientos de culpa? ¿Sientes que eres de poco valor? ¿Tienes temor de recibir o dar amor?

Estas preguntas acerca de la relación con los demás permiten detectar algún área dolorida de tu pasado, que nunca ha sido sanada y continúa afectando cada relación que estableces en el presente.

Somos criaturas de relaciones. Es la naturaleza del hombre el recurrir a otros, responder, dar y recibir. De hecho, nuestras vidas se construyen en torno a nuestra relación con otros, siendo la más importante la relación del niño con sus padres. Luego vienen las demás relaciones familiares con hermanos y hermanas, amigos, y finalmente, el matrimonio.

La mayoría de los problemas emocionales surgen de la relación paterna. A partir de ella, el niño debe recibir amor, seguridad, identidad, autoestima y autodisciplina; todo esto lo constituye en una persona emocionalmente madura. Si estas cualidades están ausentes, el niño sufrirá y tendrá problemas como adulto. Las heridas provenientes de la relación del niño con sus padres, pueden ser las más severas y duraderas en la vida.

Los siguientes son ejemplos verídicos de heridas y sufrimientos provenientes de la relación del niño con sus padres.

María había tenido tres intentos de suicidio y se entregó a la bebida en un intento de escapar de ella misma. Se quejaba de un gran vacío en su interior. Ella provenía de un hogar desintegrado y recordaba a su padre como alguien incapaz de dar amor. Las palabras de rechazo eran continuas: «¡Vete de aquí!», «¡Tú no eres mi hija!», «¡Te odio!». Esto llegó a ser un dolor insoportable que destruyó todo sentir de dignidad en esta joven conduciéndola casi a su destrucción.

Otra señorita se lamentaba por desear casarse, pero temer, al mismo tiempo, al matrimonio. Ella deseaba ayudar a la gente, pero sentía que no tenía nada para dar. Deseaba tener comunión con Dios, pero le era difícil creer que El la amaba. Viniendo de un hogar destruido, cargó con la culpa de haber tenido que elegir a su madre y rechazar a su padre. Esto produjo en su alma una grieta que nunca fue curada, causando en ella terror hacia la relación matrimonial.

Un hombre experimentaba ataques de violencia y enojo que atormentaban su vida y amenazaban su matrimonio. Su infancia era un historial de golpes, rechazo y amargura por parte de su madre que lo había concebido fuera del matrimonio. Su vida emocional estaba colmada de heridas y él estaba causando heridas en otros miembros de su familia.

Otra joven permaneció dos años en la sala psiquiátrica de un hospital bajo continua depresión. Ella no podía relacionarse con otros, llegó a rechazar a sus padres y tuvo varios intentos de suicidio. La severidad de su estado se había iniciado cuando su padre abusó sexualmente de ella siendo pequeña. Emocionalmente incapaz de soportar el trauma, rehusaba incluso recordar el incidente.

El enemigo de nuestras almas ha conseguido infligir heridas

en las vidas de los hombres, especialmente en niños inocentes, paralizándolos a tal punto, que no se pueden desarrollar emocionalmente con normalidad.

Las heridas profundas causadas en el alma tierna, producen daño emocional y síntomas para los que a veces no existe recuperación, a menos que se halle una solución espiritual.

A través de estas heridas, Satanás encuentra un firme asidero desde el cual acosar y controlar a su víctima. Pero Jesús vino a traer sanidad emocional. Con su obra redentora, Cristo ha herido a Satanás en la cabeza tal como Dios lo prometió en el jardín de Edén.

Un problema que frecuentemente acosa a la gente es el temor, también originado en experiencias pasadas. Ejemplo: una señorita cristiana madura, era atacada por el temor a la muerte. Siendo firme en su fe y ferviente en su relación con Dios, no había aparente razón para este temor. El Espíritu Santo reveló que a la edad de seis años, ella había sido llevada a la casa de un hombre muerto, una ola de miedo la envolvió, y ella salió de la habitación corriendo, sofocada de espanto y jadeante. Este temor le afectó por muchos años.

Satanás puede, inclusive, atacar a los niños antes de nacer. La práctica del aborto ha destruido miles de vidas, pero el hijo no deseado que sobrevive, puede sufrir graves síntomas de rechazo. La madre no es sólo sustentadora de vida, sino también transmisora de bienestar. Ella puede comunicar amor o rechazo; puede transmitir su propia opresión, temor e inseguridad.

Por ejemplo, nuestro tercer hijo sufre de autocompasión. El es incapaz de recibir corrección de ninguna clase sin responder con sentimiento de lástima por sí mismo, lo cual origina un problema en la disciplina. El es único de nuestros pequeños que responde de esta manera. La aparente explicación se desprende de circunstancias anteriores a su nacimiento, cuando su madre sufrió algunas experiencias muy difíciles que le condujeron a sentir autocompasión y rechazo. El niño nació cuando la situación ya estaba solucionada, pero cuando surge algo en su contra, él responde con este sentimiento, tal como lo hiciera su madre mientras le llevaba consigo.

Esta premisa, es una opinión basada en la observación personal, lo que la hace difícil de verificar, pero yo he notado que los niños adoptados, casi en su totalidad, sufren de rechazo. Recuerdo, particularmente, entre los muchos casos que podría citar, el de una señorita que fue adoptada por padres cristianos siendo niña, y ellos le amaban grandemente comunicándole ese amor de toda manera posible. Pero ella era totalmente incapaz de recibir ese amor, y decidió abandonar el hogar. No podía recibir ni brindar afecto. Impotente para cambiarse a sí misma, rechazaba también toda idea de unirse en matrimonio.

A través de heridas, Satanás tiene maneras de formar e influenciar el concepto que una persona tiene de sí misma; a su vez, la autoimagen determina en gran parte lo que ese individuo llegará a ser. La herida del rechazo, dejará a la persona con una imagen de sí misma caracterizada por falta de autoestima y sentimientos de inferioridad.

Muchos sufren el síndrome del fracaso debido a un falso concepto de sí mismos. Los niños pueden tener la opinión de sí mismos como siendo: «tontos», «estúpidos», «feos», «no aceptados», etc. Estas opiniones se forman a partir del comentario de los padres tales como: «tontito», «estúpido», «nunca aprenderás», «nunca llegarás a nada», etc. Tales expresiones actúan como una maldición sobre el niño, conformándole a la imagen de lo que de él se dice.

Las palabras pueden herir profundamente; luego, el enemigo de nuestras almas encuentra un lugar para obrar. Una vez que el «modelo» se establece, es más difícil de romper o eliminar.

Cada vez que yo debía hablar en un lugar nuevo, el temor se apoderaba de mí y aun después de años como orador, no disminuía. Analizándolo, noté que se hallaba en todo nuevo proyecto que emprendía. Después de orar y buscar a Dios para hallar la respuesta, el Señor me mostró que este temor ante una nueva experiencia comenzó al nacer. Debido a que yo fui el primer hijo, mi madre no estaba preparada para dar a luz, a no ser con mucho temor. Sin la comodidad de un hospital, ella casi muere antes de que yo naciera. El temor de ese acontecimiento, dejó en mí una impresión subconsciente, que hizo de cada nueva aventura o experiencia un tormento que se manifestaba por la expresión: «¡No puedo!», «¡No puedo!» hasta que el Señor sanó completamente esa área de mi vida.

Nuestras mentes subconscientes se convierten en archivo de toda experiencia pasada, del cual fluyen respuestas emocionales a situaciones presentes.

Encontramos una barrera de impulsos interponiéndose en los patrones del pensamiento, creando y renovando sentimientos de depresión, enojo, resentimiento y temor. Nuestra respuesta ya no es racional; nosotros ya no estamos en control. Las respuestas emocionales vienen como olas que nos envuelven. Esta situación ha sido creada por vivencias pasadas acumuladas en la mente subconsciente. Por ello, la mente consciente repite ciertos patrones de pensamiento como preocupación, temor, ansiedad, rechazo, etc., que provienen del subconsciente.

El Señor quiere que seamos libres. El desea que tú estés en

control de tus emociones. Tu voluntad, como factor que gobierna tu vida, debe ser liberada para controlar tus acciones y decisiones. Mientras tú arrastres heridas del pasado, el enemigo tiene medios para atacarte y oprimirte.

Capítulo 3
La Herida del Rechazo

La herida más profunda que nuestro enemigo puede infligir es la del rechazo.

Daniela tenía tres años cuando su padre le dió el beso de despedida. Ella nunca pudo llegar a conocerle bien y en su interior sintió que él nunca la había amado. Algún tiempo después del divorcio, su madre se casó nuevamente. Sus expectativas de gozar del amor y aceptación de un padre, se destruyeron cuando su padrastro comenzó a molestarla.

Cuando tuvo trece años empacó sus cosas, escapó y comenzó a vivir con personas que ella conocía de su vecindad. La mayor parte de su vida, a partir de entonces, transcurrió empacando sus cosas y yendo de un lugar a otro. Su hermano también sufrió: llego a tener un bloqueo en su desarrollo mental y comenzó a actuar como un niño pequeño. La vida de Daniela estaba desintegrándose; la soledad y el rechazo eran su porción de cada día y así comenzó a aislarse de la gente. El temor al peligro la atormentaba.
Comenzó a sentir dolores cerca del corazón y sufría fuertes jaquecas. Problemas de lascivia ocupaban su pensamiento y cuando buscaba a Dios, le acusaban pensamientos de condenación: «No estás en correcta relación con Dios», «El no te ama». La opinión que un niño tenga de sí mismo depende del amor y aceptación que recibe de sus padres. El rechazo destruye su autoconcepto.

Daniela se sentía infeliz y su mundo era un gran vacío. Habiendo recibido el rechazo de su padre, desarrolló una imagen negativa de sí misma.

La repetida interrogante era: «Si mi padre no puede amarme, entonces: ¿Quién podría?

Cualquier proyecto futuro del matrimonio, si existía, era muy lejano. Ella no podía creer que alguna vez alguien pudiera amarla. ¿Estaba condenada a vivir sin conocer la seguridad de recibir amor?

Daniela como muchas otras niñas que han sufrido de rechazo, se entregó a la promiscuidad. Comenzó a usar su cuerpo para conseguir el afecto que no podía recibir de manera normal. Ninguna de sus relaciones con hombres era duradera; ella no podía comprometer su afecto ni creer que nadie la amara realmente. Esos momentos de intimidad física siempre le dejaban vacío y soledad.

Convencerse de que alguien podría amarla llevaba mucho tiempo y esfuerzo para Daniela. Su autoconcepto había sido destruido por el rechazo de su padre. No habiendo conocido nunca el amor paternal, ella no se amaba a sí misma y, al no hacerlo, faltaba el ingrediente principal necesario para poder recibir amor.

La imagen de devaluación y fealdad debía dejarse de lado. Ella debía enfrentarse a sí misma y llegar a aceptarse.

Un factor clave para esto era recibir el amor y aceptación del Padre Celestial. Por vez primera ella experimentó amor y aceptación reales.

Un niño puede ser rechazado en mucha maneras, pero el divorcio produce los resultados más severamente destructivos. Cuando la relación entre los padres se destruye, frecuentemente deja en la vida emocional del niño un abismo que le amenaza con inseguridad y temor. En muchos casos, para escapar de su dilema, se entrega a un mundo imaginario que él mismo elabora, de modo tal que más adelante no se halla en condiciones saludables para enfrentar la vida como adulto normal.

El niño no solamente sufre el rechazo del padre que se va, sino también el dolor y amargura cuando le hablan mal del padre, enseñándole así, a odiar. Esto tiene efectos devastadores en la vida del hijo. Los factores que integran su sistema emocional provienen fundamentalmente de la relación padre-madre.

Los padres que han sufrido de rechazo, generalmente comunican rechazo a sus hijos. Un caso tras otro, cuando el rechazo es el centro del problema, la persona casi invariablemente expresa: «Mi padre no pudo mostrar amor». Posteriormente, el individuo puede llegar a concluir que su padre si le amaba.
Pero si un padre no comunica de manera visible ese afecto al hijo, crea en él un vacío que lo destruye y paraliza emocionalmente. Este vacío creado por el rechazo, provee al enemigo de un lugar desde el cual atormentar con autorechazo, una negativa imagen de sí, soledad, depresión y un mundo imaginario.

Algunas veces, sucede que un padre cree estar expresando amor por el hecho de proveer o dar «cosas» al niño. En esta generación de prosperidad material, hay más niños sufriendo el rechazo como nunca antes lo hubo. Los padres están ocupados ganando dinero y proveyendo para las necesidades de la familia; sin embargo, la vida y lazos familiares nunca se vieron más debilitados como en nuestros días.

Las «cosas» jamás podrán sustituir al amor y aceptación que un niño necesita recibir. El brindarse a sí mismo e invertir tiempo, son necesarios para comunicar amor.

He comprobado que los niños sufren también fuertemente el rechazo, si sus padres son alcohólicos. La adicción al alcohol parece indicar, o bien el intento de cubrir un conflicto personal del padre, o vuelve a la persona poco comunicativa hacia su familia. La comunicación, por lo general, se ve interrumpida en los hogares donde existe el problema de alcoholismo, y los niños sufren sin lugar a dudas por el rechazo que la falta de comunicación origina.

Otros padres establecen altos valores o normas para sus hijos y solamente les muestran aceptación cuando esos valores son satisfechos. El niño llegará a ser muy competitivo a fin de ganar y asegurar la aceptación de sus padres; esta situación resulta también con frecuencia interpretada como rechazo. El niño iguala el amor y la aceptación con el logro de determinados éxitos y cuando fracasa tiende a rechazarse a sí mismo, ya que su esfuerzo no fue aceptado.

Una bonita joven que parecía tener todo a su favor, vino un día en busca de consejo. Me sorprendí cuando le escuche decir: «Tengo temor al rechazo; me siento muy insegura al relacionarme con los jóvenes. Realmente no creo que ellos puedan aceptarme tal como soy y me cuesta mucho recibir el amor de otros como algo genuino».

Pronto descubrí que su padre fue un perfeccionista que mostraba aprobación solamente cuando ella realizaba algo bien. Continuamente él le señalaba los errores y defectos, de modo que su concepto de sí misma era atacado con dudas. Aunque era bella y serena exteriormente, estaba muy insegura y temerosa en su interior. La pregunta que la atormentaba una y otra vez era: «¿Podrá alguien alguna vez amarme tal como soy?».

Las personas que crecen bajo la exigencia del perfeccionismo, generalmente mirarán a Dios de la misma manera. Ellos no pueden creer que El les ame tal como son, de modo que están continuamente esforzándose para lograr ser aceptados por el Padre. Cuando han conseguido lo suficiente, esto les da el sentimiento de aceptación por algún tiempo. Pero tan pronto como caen fuera de los valores autoestablecidos, se sienten rechazados nuevamente. Son impulsados a un continuo luchar y trabajar; no hay descanso en su relación con Dios; no pueden recibir el amor de Dios. No pueden decir: «Dios me ama tal como soy. Yo no necesito ganarme su amor; no tengo que ser lo suficientemente bueno. Dios me ama incondicionalmente, así como soy». El perfeccionista basa su relación en la ejecución. El amor de Dios es incondicional, pero él no puede aceptarse incondicionalmente.

El disciplinar por medio del rechazo, también deja al niño sufriendo emocionalmente. En vez de seguir los principios bíblicos de la disciplina, los padres meramente dejan de comunicarse con el niño y generalmente se les responde con una actitud de rechazo y supuesto fracaso. El rechazo comunicado por los padres destruye el sentido de estima propia, y le lleva a perder toda motivación en la vida. Los padres sabios deben recordar que la autoestima del niño nunca debe ser destruida. La disciplina y el amor deben ir siempre unidos. De esta manera, el niño no sufre negativamente al ser castigado.

Consideremos ahora las consecuencias de ser rechazado.

En primer lugar un resultado es la inmadurez emocional, ya que el desarrollo emocional se ve impedido. El egocentrismo, siempre señal de inmadurez, puede surgir a partir del rechazo. El fracaso en establecer y conservar relaciones duraderas, la incapacidad de dar y recibir afecto, son señales de inmadurez emocional. Sólo una persona madura puede establecer relaciones interpersonales estables. El amor, la aceptación y la aprobación, son necesarios para crecer emocionalmente.

Una niña que no recibió el amor de su padre, buscará esa clase de amor en el matrimonio y esto crea un problema en la relación matrimonial. Alguien dijo: « Hay una pequeña niña y un pequeño niño, una mujer adulta y un hombre adulto en cada matrimonio». Esto solamente demuestra que toda persona tiene áreas de inmadurez emocional, en las cuales él o ella aún tienen las necesidades básicas y las respuestas correspondientes de un niño. Muchas veces sucede que, cuando una hija no ha recibido la aceptación de su padre, se siente atraída a un hombre muy similar a su padre, sólo por necesidades infantiles insatisfechas. Después, al estar casada es muy posible que se pregunte: «¿Por qué me casé con él?». Y el ciclo de rechazo continúa.

En segundo lugar, el rechazo crea un vacío emocional que ninguna persona puede satisfacer y, debido a esta carencia, se comienza a recurrir a otros para llenar este vacío - nunca con muchas personas, solamente una o dos. Si es un amigo, la relación pronto se vuelve muy cercana y la persona rechazada comienza a hacer girar su vida en derredor de esa amistad. Esta llega a ser muy posesiva y las posibilidades de otras amistades fuera de ese vínculo, no son toleradas. El «amigo» pronto se siente sofocado, cautivo en ese vínculo y comienza a alejarse.

La más mínima indiferencia o alejamiento, es suficiente para que el alma sensible de la persona rechazada se sienta ofendida, y la amistad generalmente se rompe en una crisis de enojo y celos.

La misma situación puede desarrollarse en el matrimonio.

La esposa, por ejemplo, cuando le ha sido negado el amor de su padre, comienza a aferrarse a su esposo demandando atención constante. Su vida entera llega a depender de su marido; ella extrae su propia existencia de la de él. El vacío interior la lleva a demandar de su esposo siempre más de lo que él es capaz de dar. De allí, se suceden la manipulación y casi adoración a él, en la medida en que él le responde. De la misma manera, surge una esclavitud a cumplir deseos de ella o, de lo contrario, abra ataques de enojo y odio.

Podemos ahora ver los problemas que se desarrollan. La Biblia dice: *«Por tres cosas se alborota la tierra, y la cuarta ella no puede sufrir... por la mujer odiada cuando se casa...» (Prv. 30: 21-23).*

El esposo se vuelve pasivo o bien, soporta la carga de los enojos de su mujer. El «amor» que ejerce dominio sobre otros no es amor.

Recuerdo un caso, en que el matrimonio duró 25 años en estas condiciones. Sara demandaba total atención de Guillermo. Ella esperaba que él llenara un vacío interior que acarreaba desde su infancia. Cuando él regresaba al hogar después de su trabajo ella cocinaba sus comidas favoritas, le hacía sentar en su silla predilecta y se dedicaba a esperar de él, a cambio, toda su atención, y dirigiéndola de manera posesiva. Era celosa de cualquiera que ocupase su tiempo. El no podía tener amigos cercanos ni pasar tiempo fuera del hogar. En su casa, el esposo fue volviéndose progresivamente más y mas pasivo, completamente dominado por Sara.

Ella ni siquiera le permitía disciplinar o aún comunicarse con los niños; desde que ellos habían nacido, puso en claro que los niños eran suyos y que no tenía intención de compartirlos.

Su posesividad redujo a su esposo en un estado de casi completa pasividad. Ella demandaba su total atención, pero aún no era capaz de darle amor. La relación llegó a ser de una sola vía, extrayendo ella su propia vida de él sin tener nada para darle a cambio.

El problema del rechazo puede destruir al matrimonio. En el ejemplo precedente, el matrimonio se desintegró perdiendo su vitalidad; su espontaneidad e individualidad desaparecieron. Sara llegó al punto de una completa crisis emocional, manteniéndose con drogas. Llena de heridas, enojo, odio y amargura, ella amaba y odiaba a su esposo al mismo tiempo.

Algo más concerniente al rechazo y su proyección en el matrimonio. La persona que sufre rechazo puede adoptar una actitud muy pasiva en la relación matrimonial, no mostrando iniciativa, ni tomando decisiones, completamente satisfecha con ser lo que la otra persona quiere que él o ella sea. Tal estado hace que la relación sea de una sola vía, perdiendo pronto su vitalidad. Al perder toda espontaneidad e individualidad, el matrimonio pierde su significado. Después de algún tiempo, el otro cónyuge puede perder interés, y por ninguna razón que aparentemente lo explique, abandona el hogar. Esto viene generalmente como un shock a quien ha tratado de ser todo lo que creyó se demandaba que fuese. Un estado de pasividad puede surgir por rechazo causando así la pérdida de toda individualidad.

El vacío creado por el rechazo, puede ser la causa de que una persona se esfuerce por lograr el éxito a cualquier costo, ser el mejor en su campo de acción, destacarse, lograr renombre. Puede ser una fuerza impulsora interna. La dedicación extrema a un trabajo o carrera, puede ser indicio de vacío interior.

Otros tratan de llenar este vacío con placer y autogratificación. El comer en exceso puede ser un problema. Hay quienes llegan a estar completamente involucrados en actividades extras, tales como deportes, juegos, bebida, etc. Muchos se vuelcan a la vida social para llenar este vacío de modo tal que la popularidad y el reconocimiento llegan a ser los objetivos más importantes. Otro se vuelven al sexo, llegando a la promiscuidad en su desesperado intento de llenar ese vacío. Inclusive algunas personas recurren a la religión para encontrar un sitio donde sentirse necesitados y ocupar una posición en que sean útiles, y puedan así asumir una imagen «salvadora» al relacionarse con la gente. Esto es un intento de llenar el vacío interior.

Un tercer resultado del rechazo es la soledad y el temor, con murallas erigidas a fin de protegerse de mayores daños.

La desconfianza y el temor a la gente, llevan a la persona a refugiarse detrás de esa muralla protectora, manteniéndose distante. Pero, una vez que se ha retraído a sí misma, se siente sola, insegura, necesitada del amor de alguien. Por fuera sólo aparenta estar rodeado de una coraza de dureza e indiferencia para quienes traten de acercarse.

Este tipo de individuos se encuentran a sí mismos desempeñando dos roles. El temor a ser rechazados les domina impidiéndoles salir de su refugio protector.

Una cuarta consecuencia del rechazo es el autorechazo; la persona pierde su autoestima. Es decir, llega a interpretar el rechazo de otros como indicador de su propio valor, lo cual produce una imágen negativa de sí misma y, en algunos casos un espíritu crítico -que puede dirigirse hacia sí misma o hacia otros- el cual es aun más destructivo.

Cuando la persona se mira a sí misma, generalmente centra su atención en sus puntos débiles y fracasos, comparándose continuamente con otros. Si se considera mejor que otros, exhibe orgullo; si se considera inferior, surge aun más autorechazo. De cualquier modo, pierde. Al no evitar esta dolorosa autoevaluación, tenderá a ser igualmente crítica de otros. Las normas autoimpuestas llegan a ser más elevadas y la persona se fortalece destruyendo el valor de otros.Su ambición es ver a todos los demás por debajo de sí misma, obteniendo así su sentido de valor o estima.

Una palabra de advertencia de las Escrituras nos libraría de mucho daño: *«Porque no nos atrevemos a contarnos ni a compararnos con algunos que se alaban a sí mismos; pero ellos, midiéndose a sí mismos por sí mismos, y comparándose consigo mismos, no son juiciosos» (2a Corintios 10:12).* El autorechazo nos guía al negativismo, a una actitud de crítica y orgullo.

Un quinto resultado del rechazo, es la pérdida de identidad. El niño, sea varón o mujer, encuentra la identidad a través de su padre.

Cuando el padre no ha comunicado amor y aceptación, se producirá una crísis de identidad. Un pequeño tratará de ser aquello que traiga aprobación de su padre o madre. Posteriormente, siendo adolescente, buscará su identidad en una profesión, iglesia, club, etc.

El ser humano necesita tener identidad. Cuando ésta se encuentra ausente, puede que la persona se adhiera psicológicamente a alguien, imitándole. Ejemplos extremos de una falta de identidad sería la homosexualidad y la esquizofrenia. Sin embargo, la mayoría de los individuos que sufren rechazo luchan consigo mismos, tratando de crear una persona aceptable a los demás. La opinión de otros llega a ser un factor decisivo. Se esfuerza por adaptarse a cierta imagen por la que creen ser aceptados.

Una sexta consecuencia del rechazo, es una relación inestable, de altibajos con Dios. Esta inestabilidad surge de la creencia de que Dios no puede amarle tal como es. Cree tener que relacionarse con Dios a partir de sus propios logros. La ocupación y constante actividad caracterizan la vida de la persona rechazada, en su intento de relacionarse con el Señor. Si puede hacer lo suficiente de manera satisfactoria, cree que El le aceptará. El amor incondicional de Dios y su total aceptación están fuera de su comprensión.

Un buen cristiano preguntó una vez: «¿Por qué yo no puedo ser sanado? Yo sé que Dios sana a otros». L e respondí: «El rechazo en su vida ha destruído su fe. Usted realmente no cree que Dios le sanará. Le es más fácil creer en la ira de Dios que en Su misericordia. Le es más fácil creer que el Padre no le ama que creer que le ama».

Era un hombre que no había conocido el amor de su padre debido a que nunca había compartido momentos con él siendo muchacho. En vez de mostrarle aceptación, su padre decía: «eres tonto». Habiendo sufrido el rechazo de su padre terrenal, era difícil para él creer que Dios realmente se interesaba en él. Su fe fue destruída por el rechazo.

Una palabra más es necesario al respecto. Nuestra relación con el Padre Celestial, se edifica en base a la relación con nuestro padre terrenal. Aquellos que han crecido bajo rechazo, no tienen el fundamento necesario sobre el cual construir una relación espiritual con Dios. Tienden a ver al Padre Celestial de la misma manera como vieron a su padre terrenal. Lleva tiempo y verdad el que ellos lleguen a mirar a Dios como su Padre.

Una joven señorita expresó su problema diciendo: «Yo puedo orar a Jesús como Salvador, pero orar a Dios el Padre me es imposible». Su imágen paterna había sido distorsionada por una relación destruída con su padre natural. Es necesario formar una buena relación con el padre porque tal como es en lo natural, sucede en lo espiritual. Uno encuentra identidad en su padre.

En conclusión, el hombre es creado a la imagen de Dios. Sus necesidades básicas son satisfechas al recibir amor y aceptación. Cuando el rechazo se interpone, la persona se ve privada de amor, seguridad, aceptación, identidad y reconocimiento - las 5 necesidades básicas del alma. Cuando esto no se recibe, la madurez emocional no se puede alcanzar.

El rechazo es una de las heridas más profundas que el enemigo puede infligir. El resultado es parálisis y destrucción de la persona total. Hay varios grados de rechazo, y en proporción a ellos, el enemigo ataca con soledad, temor, inseguridad, inferioridad, timidez, depresión, etc. Estos elementos actúan como veneno inyectado en el sistema emocional .

Ningún ser humano fue creado para vivir con rechazo; su sistema no lo soporta.

El hombre fue hecho para ser amado y aceptado.

Capítulo 4
Las heridas y el Resentimiento

El ejemplo más ignominioso de salvajismo y brutalidad en esta generación, lo encontramos en Cambodia. Encabezando este régimen sangriento vemos a un hombre que es responsable por la muerte de millones de personas de su propio pueblo.

¿Quién es este Khieu Samphon de Cambodia? Sus compañeros de escuela lo recuerdan como un niño tranquilo que nunca reaccionaba al ser golpeado, atacado, o maltratado por otros niños.

Siendo mayor fue descrito como individualista, sin relación con el sexo opuesto y se dice que era sexualmente impotente.

Este tranquilo muchacho que nunca reaccionaba, este hombre joven que andaba solitario, encerraba un volcán de amargura y odio originado de heridas pasadas que hacían ahora erupción destruyendo su propia gente.

Ningún ser humano puede vivir con amargura; ésta es veneno para el alma. Puede transformar completamente el carácter de una persona. Dureza, severidad, rencor y odio caracterizan a la persona amargada.

El veneno de la amargura se manifiesta al hablar ya que el tema de conversación fluye de las ofensas y heridas sufridas. El deseo de venganza se dirige hacia quienes son considerados como causantes responsables de la herida.

Otras personas son atraídas o envueltas en esta corriente de amargura y la relación se forma sobre aguas amargas. La raíz de amargura se detecta, primeramente, a través de lo que la persona dice y luego, en sus actitudes y acciones. Un espíritu amargo es, por cierto difícil de tolerar, a menos que uno mismo también lo posea. La amargura tiene su manera de atraer a otros con los mismos problemas.

En nuestra generación han surgido grupos que han traído a la gente joven a unirse a ellos. Uno de estos grupos, los «Niños de Dios», fue iniciado por David Berg, un sincero hombre de Dios en sus comienzos. Siendo pastor de una pequeña iglesia de la «Alianza Cristiana», luchaba para mantener a su familia. Aún mientras la iglesia crecía y contaba con miembros que estaban en condiciones económicas de dar, ellos no cuidaban que las necesidades del pastor y su familia estuvieran satisfechas.

Carecían de ropas y alimento. El sufrimiento de este joven pastor comenzó a sentirse en sus mensajes, cargados de reprensiones a la gente por su falta de entrega cristiana. Los miembros de la congregación respondían en el mismo espíritu, rechazando el ser condenados semanalmente desde el púlpito. Finalmente ellos le pidieron que se marchara.

La herida del alma de este joven hombre se plantó profundamente en su ser y él comenzó a oscilar entre la fe y la incredulidad, entre el ateísmo y Dios, llegando a considerar el unirse a algún grupo radical. Finalmente, decidió comenzar su propio grupo destinado a seguir los principios cristianos. A este grupo, se unieron otros jóvenes que también se sentían heridos, resentidos y disgustados con la sociedad, y así la relación entre resentidos comenzó.

De la amargura surge el engaño. David Berg acusó a la sociedad como causante de la perdición. Los líderes del grupo, que se proponían elevar los valores de justicia, cayeron en inmoralidad. Al ser dejados de lado los valores morales pronto se infiltró al ocultismo. Finalmente, el fundador surgió diciendo que era un profeta de Dios para la hora actual, quien recibía diariamente la Palabra de Dios para su pueblo. La inmoralidad y el engaño hicieron estragos en todo el grupo.

Vemos aquí las consecuencias de la amargura: de la amargura al engaño, del engaño a la inmoralidad. El precio de la amargura es muy alto. No hay alma que pueda sobrevivir a su veneno. Es la plaga negra para el cristiano.

El resentimiento también construye murallas de aislamiento alrededor de la persona que se retrae detrás de ellas, desconfiando de otros y temiendo mayores heridas. Al estar encerrada en sí misma, la soledad invade su vida.

La amargura deja en la persona una secuela de relaciones destruidas. Poco le preocupa interrumpir la amistad con una persona o excluir a otra; manifestar dureza y severidad. La persona resentida sufre de estas relaciones destruidas y ocurren cambios en su propia vida.

- Primero, la relaciones interrumpidas traerán oscuridad a la vida. Las Escrituras declaran: *«Pero el que aborrece a su hermano está en tinieblas, y anda en tinieblas, y no sabe a donde va, por que las tinieblas le han cegado los ojos»* (1a Juan 2:11).

El rechazo es una forma de odio. Cuando uno decide romper una relación , está eligiendo odiar. Nadie hay que pueda odiar sin que vengan tinieblas a su vida.

La mayoría de la gente parece considerar las relaciones destruídas como algo de pequeñas consecuencias, pero están engañados. La consecuencia más severa surge cuando la persona engañada pierde su perspectiva de la vida y todas las interrelaciones son distorsionadas, comienza a actuar con insensatez; no se ve a sí mismo ni a los demás como realmente son. Su juicio se vuelve defectuoso. Su vida pierde rumbo y deambula en confusión y desorientación. La obscuridad ha llenado su vida debido al odio y a las relaciones destruídas.

- Segundo, la ruptura de relaciones lleva a la persona a ser insensible. Nadie puede soportar la carga de relaciones destruídas sin llegar a endurecerse. Una dura coraza comienza a envolver el alma. La persona se vuele inconsciente de las heridas que puede estar causando a otros, a través de sus actitudes, palabras y acciones.

- Totalmente encerrada en sí misma, la invaden sentimientos egocéntricos y no considera los sentimientos y necesidades de otros. Este endurecimiento del alma lleva a la persona a perder la capacidad de sentir y el alma que no siente está muerta.

- Tercero, la destrucción de relaciones causa inmadurez. La madurez emocional se obtiene con base en la interacción sana con otros individuos y se ve detenida u obstaculizada en su desarrollo, cuando nos negamos a mantener relaciones sanas. En otras palabras una persona no madura estando aislada. ¿No nos habla acaso el divorcio en nuestra generación de inmadurez? ¿Acaso el egoísmo y demanda de derechos personales no caracterizan a nuestra época? ¿Dónde están los rasgos de generosidad, entrega, perdón y confianza que son ingredientes básicos para las relaciones duraderas? La inmadurez y ruptura de vínculos van juntas, de la mano. Hay que pagar un precio por la madurez; se requiere compromiso, tolerancia al sufrimiento y perdonar, hasta que las dos partes han arribado a la madurez suficiente para contribuir al bienestar y felicidad mútuos. La entrega comprometida en nuestras interacciones es el camino a la madurez.

La amargura es el arma de mayor destrucción que el enemigo tiene a su disposición.

Ningún hombre de Dios puede sobrevivir en amargura. Los huesos blanqueados de muchos siervos de Dios yacen a lo largo de la senda de la amargura. Es el camino de la muerte espiritual.

Una hermosa y joven pareja siguió el llamado de Dios a un país extranjero. Con gran expectación hicieron muchos sacrificios para ir. Al llegar, fueron asignados a un misionero de mayor edad. Descubrieron que habían sido guiados equivocadamente en cuanto al trabajo que él estaba haciendo. Ellos no podían formar parte de este engaño, pero al mismo tiempo su permanencia en aquel lugar dependía de su consentimiento. Así, se encontraron con engaño tras engaño, hasta que finalmente regresaron a su país de origen desilusionados y heridos. Después de su retorno, ella se sintió gravemente enferma. Tenían conflicto con la amargura y el dolor. ¿Les había Dios permitido llegar a sufrir tanto?

El enemigo llegó casi a abrumarlos hasta que la sanidad vino cuando perdonaron las heridas. Satanás sabe como atacarnos, como infligir heridas. Cuando un punto vital es dañado, el resultado es generalmente la amargura.

La amargura es veneno para el alma, un veneno que penetra el ser completo. La consecuencia más grave es que nos separa de Dios. Esta advertencia nos es dada en Su Palabra: *«Mirad bien, no sea que alguno deje de alcanzar la gracia de Dios; que brotando alguna raíz de amargura, os estorbe, y por ella muchos sean contaminados»*
(Hebreos 12:15).

Notemos que la amargura nos impide alcanzar la gracia de

Dios y llega a ser fuente de constante problema y tormento para el alma.

El pasaje que precede describe a la persona a punto de caer y amonesta, *«Levantad las manos caídas y las rodillas paralizadas; y haced sendas derechas para vuestros pies... seguid la paz con todos» (Hebreos 12:12-14).*

Aquí esta la respuesta: «seguid la paz». No permitas a la amargura producir odio y destruir relaciones; mantén la paz con todos los hombres a cualquier costo.

También tenemos que estar alertas de la amargura hacia Dios, como resultado de circunstancias adversas o desilusiones en la vida. Uno tiende a olvidar que El no es responsable por toda la maldad en el mundo. La experiencia de Job es un ejemplo para todos los hombres. El rehusó acusar al Señor de injusticia. Aunque él no lo comprendía, esperaba pacientemente la salvación del Padre. Sus amigos trataron de persuadirlo de pecado y juicio. Su esposa trató de desviarle de confiar en un Dios que permitía tales cosas. Pero aún así, Job permaneció entregado y confiando, creyendo que el carácter del Creador era justo y misericordioso para aquellos que acuden a El. Este siervo del Señor rechazó el resentimiento. La obra del enemigo no fue lograda; Job triunfó por rehusar resentirse.

Esta es una lección para todo cristiano. Nunca encuentres la falta en Dios; no seas tú su acusador. La amargura hacia El te destruirá, no es tu enemigo. Espera en Dios y El será tu salvación. La prueba es: ¿Puedes tú confiar en el carácter de Dios, tanto en los tiempos malos como en los buenos? ¿Conoces realmente el carácter de tu Creador?

Capítulo 5
Soltando Heridas

Habían sido íntimos amigos; las dos mujeres y sus esposos disfrutaron muchas salidas juntos compartiendo experiencias en común. Parecía existir un vínculo especial entre las dos familias. Silvia había trabajado duramente para ayudar a pagar los estudios de su esposo; ahora aquellos años estaban rindiendo sus dividendos, al disfrutar él de una profesión lucrativa. Los hijos vinieron a coronar esa felicidad. La vida parecía darles lo mejor a ella y a su familia. Todo andaba perfecto.

Silvia comenzó a cuidar a los niños de sus amigos más y más frecuentemente en las tardes. Debido a que su esposo trabajaba hasta muy tarde, la soledad se le hacía más tolerable de esa manera. De pronto, una nube cubrió su mundo de dicha. Su esposo le pidió el divorcio. Habiéndose enamorado de su mejor amiga, había decidido casarse con ella. El divorcio se llevó a cabo; dos hogares fueron destruídos y Silvia quedó sola. La seguridad de su futuro se había esfumado; todo su esfuerzo por contribuir a la carrera de su esposo desapareció. Su mejor amiga le había traicionado y ella quedó sola, con una herida tan profunda que parecía nunca podría superar.

Esta herida hubiera destruído su vida si ella no hubiese aprendido cómo soltarla.

La reacción natural es la venganza con amargura y odio. Pero ella descubrió la libertad de vivir nuevamente sin acarrear heridas y resentimiento.

Silvia aprendió a perdonar. Al entregar las heridas a Dios y elegirperdonar a su ex-esposo, ella experimentó el poder sanador de Dios. Había sido liberada de una pesada carga de rechazó y dolor, sintiendo el amor de Dios tan profundamente, que su vida entera había cambiado. En lugar de comunicar amargura a sus hijos, podía ahora enseñarles a perdonar y querer a su padre.

En la Biblia hay una historia de una mujer que abandonó su país natal con su esposo y dos hijos. Mientras estaba lejos de su tierra y familiares, su esposo e hijos murieron.

Al regresar a su hogar, ella dijo a sus amigos: *«No me llaméis Nohemí, sino llamadme Mara, porque en grande amargura me ha puesto el Todopoderoso» (Rut 1:20).* Ella escogió cargar con la amargura de su perdida y cambió su nombre por Mara, que significa «amarga».

No es necesario cambiar nuestro nombre; hay un camino para ser libre de heridas y amargura. Jesús contó la parábola de un hombre que tenía un siervo, el cual había incurrido en una deuda con su amo por la cantidad de 10 millones de dólares. Al ver el siervo que no podía pagarla, clamó por misericordia y el amo le perdonó el total de la deuda.

Las Escrituras nos dicen que *«El Señor de aquel siervo, movido a misericordia, le soltó y le perdonó la deuda» (Mateo 18:27).* El amo pudo haberle arrojado en prisión, y vendido a su esposa e hijos como esclavos; pudo haber descargado su enojo y ofensa tomando venganza. En cambio, escogió liberar al siervo y perdonarle.

En el pasaje mencionado hay dos palabras claves que encierran el secreto de ser libres de heridas y amargura. Primero, el amo liberó al siervo. Este vocablo en el texto original significa «soltar», «descargar a alguien de algo». Tiene la connotación de liberar a un prisionero de sus cadenas. El amo en la parábola «liberó» al siervo de su deuda.

Segundo, el amo le perdonó la deuda. Una cosa es conformarse o resignarse uno mismo a perder semejante suma de dinero, pero otra es tener la actitud correcta hacia la persona causante de la pérdida. El amo no guardó resentimiento hacia su siervo. No solamente lo liberó de la deuda, tampoco guardó nada en su contra. «Perdón» en el texto original tiene el significado literal de «dejar ir», «enviar». También se traduce como «cancelar», «remitir». El amo escogió dejar ir al hombre, libre de cualquier obligación. El hombre fue perdonado.

Así, tenemos aquí los dos pasos para despojarnos de heridas y amargura. Primero, perdona todo lo que la persona te deba. Segundo, suelte a la persona de toda obligación hacia ti. Esta es la llave para ser libre.

Si tienes dificultad en perdonar la deuda de la persona, vé con ella la segunda milla.

Jesús dijo en Mateo 5:40,41: *«y al que quiera ponerte a pleito y quitarte la túnica, déjale también la capa; y a cualquiera que te obligue a llevar carga por una milla, vé con él dos»*. La verdad que se enseña es que uno debe hacer más de lo que se nos requiere. Esto puede aplicarse al área del perdón.

Había dos amigos que compartían un negocio en sociedad. Llegó el momento cuando decidieron disolver la sociedad y vender el negocio. Uno de los socios tomó para él una parte mucho mayor de la que le correspondía, dejando al otro profundamente herido y sufriendo la pérdida. La corte pudo haber solucionado el problema con justicia, pero el socio que sufrió la pérdida era cristiano y sintió que debía seguir el principio escritural de no ir a la corte (1 Corintios 6). Después de orar al respecto, decidió perdonar la suma y liberar al hombre.

Aunque el hizo lo que sabía era correcto y agradable a Dios, le era muy difícil perdonar completamente a su ex-socio; aún sentía el dolor de todo. Después de seguir orando, resolvió ir la segunda milla. Su ex-socio se mudaba para vivir a una ciudad distante y el costo de la mudanza era alto. El cristiano resolvió pagarle el gasto y le envió el dinero. Inmediatamente, sintió completa liberación de la situación. Por avanzar una segunda milla, todos los recuerdos de la primera milla fueron sanados.

El perdón libera al ofensor de todo lo que debe. El amor cristiano exhibido libera a la persona ofendida del peso del dolor. El verdadero hijo de Dios no solamente sufrirá pérdida, sino que lo hará gozoso, yendo más halla de lo que se requiere de él. Esto traé liberación completa.

La parábola que el Señor dió es un ejemplo de la gracia y compasión de Dios por el pecador. No hay forma de que este pueda pagar lo que debe. Es totalmente imposible. Dios tiene todo el derecho de lanzar al pecador en el infierno, pero El responde con misericordia y perdón a todo aquel que acude a El y se lo pide. Dios va aún más allá de perdonar. El establece al pecador como justo delante de El y le hace Su hijo, dándole el derecho de venir ante Su trono.

¿Qué mayor ejemplo podríamos encontrar de perdón y amor extendido al culpable?

Luego llegamos al aspecto negativo en la parábola de Mateo. En lugar de perdonar, como había sido perdonado, mostrando misericordia tal como la había recibido, el siervo encontró a otro siervo que le debía aproximadamente 18 dólares en plata e inmediatamente demandó el pago.

No mostró misericordia alguna y arrojó a su amigo en prisión hasta que le hubo pagado todo. El primer siervo fracasó en su aprendizaje de perdonar; continuó en su determinación de recuperar lo que por derecho le correspondía. Se negó a cederlo. Aquí encontramos una advertencia para el pueblo de Dios: Habiendo recibido el perdón de Dios, tengamos cuidado de no olvidarnos y negar el perdón a aquellos en deuda con nosotros.

Estemos seguros de exhibir la misma misericordia que hemos recibido del Padre.

En comparación a lo que el Señor te ha perdonado a ti, cualquier ofensa en tu contra es como comparar 18 dólares con 10 millones. No hay manera o justificación para que el cristiano se niegue a perdonar; la misericordia de Cristo le impulsa a perdonar todo.

Ahora viene la advertencia, *«Entonces su Señor, enojado, le entregó a los verdugos, hasta que pagase todo lo que le debía. Así también mi Padre Celestial hará con vosotros si no perdonáis de todo corazón cada uno a su hermano sus ofensas» (Mateo 18:34-35).* El fracaso en perdonar, libera la acción de atormentadores o verdugos en nuestras vidas. Estos son espíritus de opresión que vienen sobre aquellos que reclaman sus derechos, negándose a perdonar y ofrecer misericordia. Aquí se halla el problema de muchos. Acarrean heridas del pasado, viviendo en amargura, reclamando sus derechos y sufriendo el tormento del infierno en sus almas. Ningún psiquiatra, ni drogas, podrán eliminar esto. Ellos sufren el tormento de no perdonar. Satanás ha encontrado un lugar desde el cual atormentarlos por medio del resentimiento.

Mientras uno se mantenga sujeto a la herida, permanece atado al pasado. No es libre para vivir en el presente. La amargura del pasado influye en las relaciones del presente.

Aquéllos que no quieren ser contaminados se retirarán. Es difícil vivir con el odio y deseo de venganza.

Estás ligado a cada persona que te ha herido, y ni aún la muerte del ofensor puede quitar el dolor. El hecho asombroso es que llegas a ser semejante a la persona a la cual te hallas ligado por no perdonar.

Yo rogaba a una joven esposa que tenía problemas matrimoniales: «Perdona a tu esposo como Dios te ha perdonado a ti», pero ella no hallaba posible el perdonar su falta de amor e infidelidad; el matrimonio terminó en divorcio.

Apenas uno o dos años después, ella comenzó a practicar las mismas cosas que odiaba en su esposo. La amargura de su alma la sujetaba a su esposo aún después del divorcio.

Por retener el pecado de otra persona, nos asemejamos a ella. El divorcio no es la respuesta sino el perdón.

Ahora arribamos al principio que establece la verdad de este capítulo: perdona y te asemejarás a Dios; retén el pecado de otro, y te volverás semejante a aquél cuyo pecado retienes; el no perdonar nos ata.

Perdonar es una elección, no es un sentimiento. Cuando uno decide perdonar en su corazón, Dios comienza Su obra de crear Su semejanza y carácter en ese individuo. El perdón es un atributo de la semejanza de Dios. Nosotros debemos ser portadores de su semejanza y mostrar su misericordia. Una experiencia en extremo dolorosa puede tornarse en bendición si el carácter de Dios se forma en nosotros a través del perdón.

Llegamos ahora a una observación final: Perdonar libera la acción de Dios. Primeramente, el que tú perdones a otros hace posible que Dios te perdone a ti *« Porque si perdonáis a los hombres sus ofensas, os perdonará también a vosotros vuestro Padre Celestial; mas si no perdonáis a los hombres sus ofensas, tampoco vuestro Padre os perdonará vuestras ofensas» (Mateo 6:14-15).* La obra de Dios en nuestra vida es obstaculizada por la falta de perdón y también nuestros propios pecados permanecen sin ser perdonados. La obra de su gracia es detenida. Dios actúa por el principio de misericordia y perdón. El objeto de su misericordia debe mostrar misericordia, el objeto de su perdón debe mostrar perdón para continuar recibiéndolo. Aquello que recibimos de Dios, debemos brindarlo a otros. La redención y el perdón son coexistentes en la vida del cristiano.

En segundo lugar, cuando tu perdonas, liberas el perdón de Dios para otros. La Palabra de Dios dice: *«De cierto os digo que todo lo que atéis en la tierra, será atado en el cielo; y todo lo que desatéis en la tierra será desatado en el cielo (Mateo 18:18).*

La mano de Dios se detiene por no perdonar. Recuerdo a una madre que estaba atormentada completamente por su amargura y odio; su ex-esposo le había quitado a sus dos hijas, engañándola, y luego obtuvo derecho legal para mantenerlas con él. Ella estaba resentida contra la madrastra que ocupó su lugar. Perdió todo privilegio, aún el de ver a sus hijas; perdonar le parecía imposible. Esta situación continuó por varios años.

Pero aún siendo así le pregunté: «¿Escogería usted perdonar a su ex-esposo que tiene a las niñas? ¿Perdonará a la mujer que ocupó su lugar? ¿Escogería perdonar?» Ella se mantuvo vacilante, pero luego contestó débilmente que ella escogería esa opción. Siendo así, Dios intervino en la situación, y al cabo de un mes, su ex-esposo con su esposa trajeron a las niñas a su casa para que la visitaran. La comunicación se restableció y la madre fue capaz de mostrar amor genuino hacia la madrastra de las niñas. Dios trajo sanidad a través del perdón.

En tercer lugar, cuando tú perdonas haces posible la sanidad de Dios en tu vida.

El principio escritural es: *«Perdonad y seréis perdonados» (Lucas 6:37).*

La palabra *perdonad* aquí, es la misma que figura en la parábola de Mateo 18, «El perdonó al siervo». Cuando liberamos a otro a través del perdón, entonces Dios nos libera del dolor que hemos recibido a través de esa persona. Este es un principio por el que Dios obra: Libera en perdón a quien te hirió y luego Dios te liberará a ti de la herida. El primer paso es una elección que tú haces; luego, Dios es libre para otorgar Su sanidad a tu alma curando la herida, la amargura y el odio, dándote amor en su lugar. Tan maravilloso cambio puede hacerse realidad sólo cuando tu eliges perdonar.

Si así lo haces, Dios entra en escena. El siempre cambia las cosas.

Capítulo 6
Herido y Sanado

El fue herido como nadie jamás lo fue. Tan pronto como la serpiente lo reconoció como la Simiente prometida a la mujer (Génesis 3:15), persiguió al Hijo del Hombre de toda la manera posible. La serpiente había decidido que la Cabeza del Hijo del Hombre fuera herida, no su talón.

El sufrió rechazo desde el comienzo. En un establo, en medio del ganado, nació y fue colocado donde ellos comían. No había lugar para el Hijo de Dios. Una pequeñita porción de vida enfrentaba al mundo hostil. EL profeta Isaías escribió, «Subirá cual renuevo delante de él, y como raíz de tierra seca» (Isaías 53:2). La tierra seca describe apropiadamente la condición de los corazones de la gente hacia el Hijo del Hombre; no había lugar para El.

Cuando tenía sólo una año, su vida fue amenazada por un rey perverso y sus padres tuvieron que huir del país. Después que el rey murió, Jesús y sus padres regresaron a su tierra natal, pero con gran precaución por temor a las autoridades. El fue criado en un pueblo abandonado, atrasado y pobre. Su padre terrenal era carpintero, de quien Cristo aprendió su oficio. Después de la muerte de José, las responsabilidades cayeron sobre El y trabajó ganando el pan con el sudor de Su frente, cuidando de Su madre, hermanos y hermanas menores hasta que ellos crecieron.

La vida siempre le fue dura. Desde el establo hasta cuando vivió en este mundo, El aprendió la severidad de la vida.

Parecía que la serpiente esperaba ver qué era lo que este

Hombre haría; quizá ella se había equivocado y no era éste el Hijo de Dios. Pero un día, esta duda se desvaneció cuando Jesús, entrando al río Jordán, fué bautizado.

Cuando Este salió del agua, una Voz desde el cielo declaró: «Este es mi Hijo amado en el cual tengo contentamiento». El tenía el contentamiento de su Padre y ésa era la motivación de Su vida. Los demonios huían, la gente era liberada, los enfermos eran sanados, los paralíticos caminaban, los ciegos veían, porque Dios había venido a Su pueblo.

Después de Su bautismo, regresó a Nazaret y en la sinagoga abrió el Libro leyendo para quienes allí estaban presentes: «El Espíritu del Señor está sobre mi, por cuanto me ha ungido para dar buenas nuevas a los pobres; me ha enviado a sanar a los quebrantados de corazón; a pregonar libertad a los cautivos y vista a los ciegos; a poner en libertad a los oprimidos (heridos); a predicar el año agradable del Señor» (Lucas 4:18-19).

Se le declaró guerra al enemigo del hombre. El había venido a «poner en libertad a los oprimidos». Empero, debía sufrir para lograrlo. El no fue bien recibido; su pueblo natal no creyó en El, los líderes religiosos lo envidiaban y después de tres años demandaron su muerte. Todo el bien que hizo fue atacado por calumniadores que decían, «Todo lo que hace es por el poder de Beelzebú». Fue cuestionando, rechazado, no tuvo un lugar donde descansar. Finalmente, la presión se hizo tan fuerte que uno de sus propios discípulos le traicionó entregándole en las manos de sus enemigos. El fué juzgado frente a muchos acusadores falsos; fue golpeado, ridiculizado, escupido y burlado. El odio y el rechazo humano se descargaron sobre El. Finalmente fue colgado de una cruz y en la hora de su muerte, mirando a los ojos a aquellos que lanzaban acusaciones y palabra de calumnia en Su cara, los perdonó. Así murió, experimentando el abandono de Su Padre.

El profeta bien había dicho, «*Despreciado y desechado entre los hombres, varón de dolores, experimentando en quebranto;... Mas él herido fue por nuestras rebeliones, molido por nuestros pecados; el castigo de nuestra paz fue sobre él, y por su llaga fuimos nosotros curados*». *(Isaías 53:3-5).*

El fue herido por ti, para que seas liberado. Fue castigado para que tengas paz. Fue azotado para que tú seas sanado. El no sufrió por Sí mismo: El sufrió por ti. Sufrió por los afligidos, dándoles «*gloria en lugar de ceniza, óleo de gozo en lugar de luto, manto de alegría en lugar del espíritu angustiado; y serán llamados árboles de justicia, plantío del Señor para gloria suya*». *(Isaías 61:3).*

Para aquellos que lloran, cuyas vidas Satanás destruyó en cenizas, El es capaz de traer gloria; para aquellos que lloran y están afligidos, El da óleo de gozo; a quienes se hallan deprimidos y vencidos, El cubre con manto de alegría.

Estas son las provisiones de Dios para los rechazados, heridos y enfermos. Hay sanidad para ti, mi amigo. El sufrió tu rechazo. Recibe Su sanidad hoy.

• Primeramente, perdona a aquellos que te han rechazado. Nómbralos ante Dios y perdona a cada uno por toda herida que te hayan causado. Sé específico. Deja que el Espíritu de Dios te revele la herida. Haz tuya la oración «*Examíname, oh Dios, ... y ve si hay en mi, camino de dolor*» *(transcripción literal, Salmo 139:23-24).* A medida que el Espíritu de Dios te recuerda estas heridas, sigue el principio escritural «*Perdonad y seréis perdonados*» *(Lucas 6:37).* A medida que tú liberes mediante el perdón a aquellos que han herido, Dios te liberará a ti del dolor de las heridas. Nuevamente, sé específico y concede tiempo a

Dios para obrar en estas áreas de tu alma.

El puede traer a luz todo dolor sepultado profundamente en tu ser.

En segundo lugar, entrega todo rechazo al Hijo del Hombre. El cargó con los rechazos hacia ti para que puedas ser libre.

Las Escrituras dicen: *«Porque como a mujer abandonada: y triste de espíritu te llamó el Señor, y como a la esposa de la juventud que es repudiada» (Isaías 54:6). El promete, «Más Yo haré venir sanidad para ti, y sanaré tus heridas, dice El Señor; porque desechada te llamaron diciendo: ... de la que nadie se acuerda» (Jeremías 30:17).* Entrega todo rechazo a El y El te sanará.

• En tercer lugar, acepta el amor de Dios por ti, sabiendo que has sido aceptado en el Amado (Efesios 1:6); y no existe rechazo ante el Padre. El te ama tal como eres. No necesitas ganarte su amor; no necesitas ser suficientemente bueno para obtenerlo. El se ha comprometido hacia ti dando a Su Hijo, y siendo así ...*«¿Cómo no nos dará también con El todas las cosas?»* (Romanos 8:32). Tú has sido aceptado; no hay rechazo ante el Padre. Puedes ir a El; recibir Su amor y amarle. El te redimió para tener comunión contigo. Abrete y cuéntale los secretos de tu corazón sabiendo que El cuida de ti.

• En cuarto lugar, perdona y acéptate a ti mismo. No creas más todas las mentiras de Satanás como hasta ahora. Eres una nueva criatura en Cristo; ahora eres obra de Dios y El puede hacer de ti la persona que El desea que seas. Deja a Dios obrar. Deja de devaluarte y despreciarte por todas tus imperfecciones y errores. No toques lo que es propiedad de El y permítele moldearte a la imagen de Su Hijo. Deja ya de luchar y concede tiempo a Dios. El traerá «gloria en lugar de cenizas». Dios te revestirá con su justicia y tú puedes decir: *«En gran manera me gozaré en el Señor, mi alma se alegrará en mi Dios; porque me vistió con vestiduras de salvación, me rodeó de manto de justicia, como a novio me atavió, y como a novia adornada con sus joyas» (Isaías 61:10).*

Regocíjate en el Señor y ten paciencia. Dios aún no ha terminado.

En el segundo capítulo de este libro, hablé de gente que fue víctima del enemigo.

Siendo niños, Satanás pudo herirlos profundamente. Hay sanidad para ellos y hay sanidad para ti. Dios generalmente no anula los recuerdos, pero sí puede quitar, y por cierto quitará el dolor. Satanás toma ventaja de nuestra memoria para atormentarnos, oprimirnos y llenarnos de temor. El encuentra un punto desde el cual trabajar a través de nuestra memoria. Dios puede sanar tu memoria y romper las cuerdas del opresor en tu vida.

• Primeramente, invita a Jesús a retroceder contigo hacia el momento en que tuvo lugar el incidente. La Biblia dice: *«Jesucristo es el mismo ayer, y hoy, y por los siglos» (Hebreos 13:8).* El es capaz de trascender todo tiempo. No es difícil para El retroceder en tu memoria y deshacer la obra que el enemigo hizo en un momento determinado.

• En segundo lugar, deja que la presencia del Señor llene el lugar. Contémplale allí junto a ti; deja que El te consuele. Recibe Su amor y cuidado en esa situación. Recuerda, el sufrir sin la presencia o consuelo de alguien trae rechazo, soledad e inseguridad.

Deja que la presencia del Señor te traiga alivio inmediato. ¿Has observado alguna vez a un niño cuando se golpea? Antes de que llegue su madre, él grita y llora como si se estuviera muriendo. Tan pronto como ella lo levanta, todo el temor y dolor parecen desvanecerse. Como ves, el sufrimiento no deja heridas si uno ha tenido el consuelo de alguien que le ama.

Es el sufrimiento sin consuelo alguno el que deja la marca en nuestra alma.

Recuerdo a una madre que experimentaba dificultades para criar a sus dos hijas pequeñas. Ella oscilaba entre sobreprotegerlas y dañarlas siendo extremadamente exigente e impaciente con ellas. Era dominada por estas reacciones contradictorias hacia las niñas. En nuestra sesión surgió el hecho de que siendo pequeña, no se le permitía ir afuera y jugar con otros niños. Apenas llegaba de la escuela tenía que lavar los platos, limpiar la casa, y cuidar a su hermano con retardo mental. Su infancia estuvo colmada de duro trabajo y oscuridad.

Mientras oramos juntos, pedí al Señor que la trasladara al momento cuando ella era niña y la llevara a través de la casa en que ella vivió, que llenara cada habitación con Su amor y luz, que llenara la casa con Su Presencia. En su imaginación ella vió todo esto y comenzó a reír como un niño experimentando un alivio tremendo. Más tarde le pregunté que había sucedido. Contó que el Señor la llevó afuera y comenzaron a correr juntos entre los árboles. Ella nunca había sentido tal libertad y gozo. Cuando se acercaron a un grupo de niños, El la alentó a acercarse. Por primera vez, ella sintió aceptación y amor de niños de su edad. El Señor sanó la herida de una niña solitaria.

- En tercer lugar, recibe el amor de Dios en esa experiencia. El amor es más fuerte que el dolor. Al recibir uno el amor de Dios, el dolor se disipa tal como sucede con el niñito que deja de llorar cuando su madre lo levanta. Deja que el Señor te levante y te consuele. Recuerda que El dijo: *«El me ha enviado a vendar a los quebrantados de corazón» (Isaías 61:1).* Ese es el propósito de Su venida. El te ama a ti como a cualquier otra persona. Deja que el amor del Señor llene tu memoria y serás sanado.

• En cuarto lugar, no pienses en dolores del pasado. Pensar en ellos da a Satanás oportunidad de abrir viejas heridas. El sentimiento de amargura puede volver. Uno debe evitar conscientemente pensar en el pasado. La Biblia dice, *«No os acordéis de las cosas pasadas ni traigáis a memoria las cosas antiguas» (Isaías 43:18).* Cada vez que un mal recuerdo del pasado retorna, di: «Gracias Jesús por sanar esa herida». Ora por la gente que forma parte de ese recuerdo y entrega tus pensamientos a Dios.

En conclusión, te ofrezco cuatro sugerencias prácticas para recibir tu sanidad.

• Primero, vuélvete como un niño pequeño. Aún para entrar al reino de los cielos tenemos que «volvernos como niños» (Mateo 18:3). Se simple como un niño.

• Segundo, pide a alguien que ore contigo. Mientras tú eres guiado a enfrentar un momento difícil del pasado, la presencia de un amigo intercediendo por ti será de gran ayuda.

• Tercero, permite a Dios usar tu imaginación. Si sometes tus pensamientos a El, el Espíritu Santo puede usar las facultades de tu mente para traer sanidad a tu alma.

• Cuarto, recuerda que El sufrió por tus heridas, (1a Pedro 2:24). Sí, El ha sufrido por tí, entonces El desea sanar las heridas y cicatrices de tu pasado. En respuesta a la oración «Examíname, oh Dios ... y ve si hay en mi, camino de dolor»,

Dios traerá sanidad a tu alma.

Cierta señorita, debido a que había sido adoptada cuando niña, nunca pudo creer que su padre adoptivo le amaba. Fue sanada de esto, después de escuchar uno de mis cassettes y escribió: «No podía recordar a mi padre diciéndome que me quería, o sosteniéndome en sus brazos. La única atención que recuerdo haber recibido de él era corrección. Entonces dije: Jesús, por favor tráelo a mi mente. Seguramente hubo un momento, al menos uno, en que papá me sentó en sus rodillas diciendo: 'Martita, te quiero'. Siguieron varios minutos de silencio, luego dije: 'Jesús sólo necesitó saber la verdad'. La más dulce certidumbre se apoderó de mí y en lo profundo de mi ser el Espíritu Santo dijo: 'Tu padre te ha amado en aquel entonces, tanto como lo hace ahora. No era su naturaleza como hombre joven expresar atención a nadie, además de tu madre. Cierra los ojos y te mostraré cuánto él te amó'. Yo hice esto, y al hacerlo, me ví parada a su lado siendo pequeñita. El me levantó y dijo: 'Te amo cariño', me abrazó y me besó. Ahora esta presencia del Señor era tan fuerte y hermosa, que se prolongó por largo tiempo. Suaves ondas fueron limpiando y sanando mi alma, permitiéndome sentir un amor que nunca antes había experimentado en mi vida».

Capítulo 7
Barreras en las Relaciones

Somos criaturas de relación. Sin embargo, la obra del enemigo ha traído aislamiento, desconfianza, temor, rechazo, heridas y amargura. Eso incapacita al individuo para tener buenas relaciones ya que se retrae detrás de las murallas del temor, en busca de protección y tratando de ocultarse de los demás.

Siendo esto contrario a la naturaleza humana, la persona en esta situación sufre diariamente. El hecho es que Dios no puede concluir Su obra de sanidad y liberación hasta que estas murallas séan derribadas y la persona comience a amar, confiar y comunicarse.

Creados a Su imagen hemos sido hechos para amar, confiar y comunicarnos como Dios lo hace. De modo que la obra restauradora debe comenzar. Uno debe tomar el paso de fe saliendo de detrás de la muralla protectora y exponerse al amor y comunión con otros. Si en lugar de esto permanece en sus temores evitando abrirse y exponerse, perderá aquello que el Señor conquistó. El enemigo continuará oprimiendo y atormentando.

Uno debe tomar el paso de fe y salir. Esa es la opción necesaria.

Al hacer esta elección te encontrarás con varias barreras para establecer buenas relaciones, las cuales uno debe esperar y estar preparado para enfrentar. La primer barrera es el temor. Job dijo: *«Por que el temor que me espantaba me ha venido, y me ha acontecido lo que yo temía» (Job 3:25).* Al Tomar el paso de salir y abrirse, el peor de los temores vendrá y la primera reacción será querer retroceder y huir. Si así sucede, la persona continuará huyendo como lo ha hecho durante toda la vida. Este es el momento para detenerse y enfrentar el temor al rechazo, a aceptar el amor de otros, a fracasar, a cometer errores, a ser herido y a darse a conocer.

El temor enfrentado es temor vencido, pero quien se deja llevar por el temor, es como el animal cazado que no halla descanso. El Señor desea liberarte de todos tus temores.

Hay un camino de salida:

1. Haz la firme decisión de enfrentar «a pesar de» tus temores. Esto da a la fe oportunidad de actuar. Confía en Dios para obtener la victoria total; cree en El aún para lo «imposible».

2. Enfréntate al temor. ¿Qué es lo peor que puede pasar? ¿Estará ahí el Señor para sostenerte? Cuando mires directamente a tu temor, verás que es una sombra y cuanto más te enfrentes a éste, menos verás de él.

3. Decídete a pagar el precio, cualquiera que sea el costo, para ser libre. Arriba al punto de no retornar. Haz como el capitán naval inglés hizo cuando se enfrentó al barco enemigo. Ordenó que la bandera fuera clavada al mástil. No habría sometimiento sino batalla hasta la muerte.

4. Permanece en la Palabra de Dios, búsca las Escrituras que hablan del temor y aprópialas para ti. Algunas de ellas son: « ... *No nos ha dado Dios espíritu de cobardía, sino de poder, amor y de dominio propio» (2a Timoteo 1:7); «El Señor está conmigo; no temeré lo que me pueda hacer el hombre» (Salmo 118:6); «el temor del hombre pondrá lazo; mas el que confía en el Señor será exaltado» (Proverbios 29:25).* El temor nunca proviene de Dios; El nos da poder, amor y pensamientos correctos.

Una señorita era constantemente atormentada por el miedo a la gente. Ella sufría de ser en extremo consciente de sí misma y de temor al rechazo. En la iglesia o cualquier acontecimiento siempre se sentaba atrás, nunca enfrente de alguien. Ella conocía el rechazo desde su infancia. Su padre era torpe y le criticaba; los otros niños la rechazaban debido a su familia. Las palabras de su madre: «¿Cómo piensas que puedes gustarle a alguien?» resonaban una y otra vez en sus oídos. En la escuela secundaria, cuando es tan importante ser aceptado, ella se sentaba al frente de la clase. Sin saberlo, la niña detrás de ella comenzaba a burlarla ante el resto de la clase. Cuando ella lo descubrió pensó, «¡Algo terrible debo de tener!» No podía ya tener el coraje de sentarse enfrente de nadie desde entonces.

Después de orar por sanidad y liberación, ella escribió contando que ahora se sentaba en los primeros asientos en la iglesia. Había tomado el paso de fe y vencido su temor.

La segunda barrera para el establecimiento de buenas relaciones interpersonales es el temor a la gente. Las demás personas representan o son vistas como amenaza a la seguridad personal y bienestar, como una fuente de heridas e incomprensión. Consecuentemente, la persona se retrae en temor.

Aquellos que tienen un bajo concepto de sí mismos, son vencidos por el sentimiento de inferioridad y falta de dignidad en presencia de otros. Se sienten incapaces de interactuar o comunicarse. La vergüenza y timidez les invaden. Otras veces pierden su propia identidad por tratar de satisfacer las expectativas de los demás. Esta es una condición de vida muy miserable.

Esta barrera debe ser destruída, para lo cual existe una salida:

1. Levántate en el Nombre de Jesús y libérate del temor al hombre. Declara tu liberación en el Señor. El Salmo 27:1 nos alienta con estas palabras: *«El Señor es mi luz y mi salvación; ¿de quién temeré? El Señor es la fortaleza de mi vida; ¿de quién he de atemorizarme?»*.

2. Recuerda que todo ser humano es mortal, tanto como tú lo eres. La Escritura pregunta, *«¿Quién eres tú para que tengas temor del hombre, que es mortal, y del hijo del hombre, que es como heno? Y ya te has olvidado del Señor tu Hacedor...» (Isaías 51:12-13)*.

Notemos que el temor al hombre nos hace olvidarnos de nuestro Hacedor. ¿Qué es el hombre cuando le ponemos a la par de Dios? No hay comparación. El dice, *«Yo, soy vuestro consolador. ¿Quién eres tú para que tengas temor del hombre...? (Isaías 51:12)*.

Cuando logramos una perspectiva correcta, entonces vemos al hombre como realmente es.

3. Deja de mirar al hombre como si poseyera tu vida en sus manos. Una vez más, las Escrituras nos advierten *«Dejaos del hombre, cuyo aliento está en su nariz; porque ¿de qué es él estimado? (Isaías 2:22)*. Tú vida no depende del hombre; tú la recibes de Dios. El te sostendrá.

4. Deja de compararte con otros, pues haciéndolo llegarás o bien a idolatrar a la otra persona o a criticarle. La Biblia dice: *«Cuando ellos... se comparan consigo mismos, no son juiciosos»* (carecen de juicio, entendimiento) *(1a Corintios 10:12)*.

Acepta el hecho de que eres diferente en muchas maneras; hay algo único en ti con lo que puedes contribuir. Tú tienes algo para dar.

5. Comienza a ver a la gente como Dios la ve. Te sorprenderá encontrar a muchos que , como tú, han sufrido heridas, rechazo y aislamiento. La compasión del Señor vendrá sobre ti y te dará la libertad para amar.

La tercer barrera para establecer buenas relaciones es tener una autoimagen negativa. Tal persona se pregunta qué pensará la gente de él o de ella; se siente insegura y con miedos frente a otros. Le atemoriza el conocer a otras personas y no les permite acercarse.

Ya que no se acepta a sí misma, ésta segura de que tampoco los demás pueden aceptarle.

Consecuentemente, se retira o huye ante cualquier relación. Estas personas sufren de temor, timidez, inferioridad y falta de confianza en sí mismas.

Realmente duda de que otros puedan amarle, si le conocen como realmente es. Existe una salida:

1. Deja de verte a ti mismo como un fracaso. Tu autoconcepto es generalmente creado por la opinión de los demás y tus experiencias infantiles. Las palabras pronunciadas por los padres pueden actuar como maldición a lo largo de la vida. No importa lo que haya ocurrido, Dios está ahora en la escena. La Escritura dice: *«Mas a Dios gracias, el cual nos lleva siempre en triunfo en Cristo Jesús» (2a Corintios 2:14).* Dios te hará triunfar.

2. Mírate a ti mismo como Dios te ve- una nueva criatura. *«Si alguno está en Cristo, nueva criatura es» (2a Corintios 5:17).* Reconócete a ti mismo en Cristo; despójate de la imagen del viejo hombre y al hacerlo, pide a Dios que te muestre a ti mismo como El te ve. El te mostrará un hombre o una mujer de Dios con gran valor. El te ve como el hombre o mujer que está formando. Asume tu posición ante Dios y despide los pensamientos negativos. Recibe la visión que Dios tiene de ti mismo y vuélvete la persona que El ve que puedes ser.

Haz cesar la fealdad en tu pensamiento y comienza a ver la belleza de Jesús en ti mismo y en tu vida.

La cuarta barrera para el logro de buenas relaciones interpersonales es la respuesta «¡Yo no puedo amar a la gente!» El odio ha ocupado tu corazón debido a heridas y amargura. Ahora, escoge reemplazar el odio por amor. El principal impedimento para amar, es el temor a ser rechazado. Habiendo sufrido de rechazo en el pasado, el recuerdo de esa experiencia se adhiere al corazón impidiendo que éste responda. Has cerrado tu corazón. Alguien ha dicho: «Cada vez que abro el corazón soy herido». Debes recordar que al amar nos arriesgamos. Los beneficios que se derivan de una relación sana, hacen válidos o justifican todos los riesgos. La soledad y el temor son peores que cualquier riesgo implicado.

Hay una salida para esto:

1. Aprende a amar a la gente como Dios te ama -incondicionalmente-. La Palabra de Dios dice: *«Un mandamiento nuevo os doy: que os améis unos a otros, como yo os he amado, que también os améis unos a otros» (Juan 13:34).*

En otras palabras, tu amor por los demás no se basará en sus méritos. Ellos no tienen que cumplir con requisitos o expectativas; los amarás tal como son. Tu amor no dependerá de su amor por ti. Los amarás como Dios te ama.

2. Pide a Dios que te muestre Su amor por la persona que te ha herido. A medida que veas el corazón de Dios, tu propio corazón se abrirá cada vez más. Encontrarás amor y compasión fluyendo de ti y así, mientras ames a otros, tú mismo serás sanado.

3. Recuerda, el amar es una elección antes de llegar a ser un sentimiento. El sentir viene después de elegir. Al tomar la decisión de amar, activarás tu corazón para sentir ese amor nuevamente.

4. Busca a alguien para ayudar, alguien que tenga conflictos en esa área. No formes un grupo de autoconmiseración, sino comienza a compartir con esas personas la verdad que Dios te ha mostrado; anímales y ora con ellas. Al ministrar a otros, el mismo Espíritu te ministrará.

5. Nunca rechaces a quienes pueden rechazarte. El rechazo es una forma de odio; rechazar a alguien es elegir odiarle. Escoge amarle a pesar de su rechazo.

6. Busca en la Biblia pasajes que te muestren la seguridad del amor de Dios. Esto te estimulará a amar a Dios y a compartir su amor con otros.

Algunos de ellos son: *«Como el Padre me ha amado, así también yo os he amado; permaneced en mi amor» (Juan 15:9). «Me llevó a la casa del banquete, y su bandera sobre mi fue amor» (Cantar de los Cantares 2:4).*

La quinta barrera para la formación de buenas relaciones es la falta de comunicación.

Alguien confesó, «Yo nunca me expreso demasiado con nadie». Es tiempo de cambiar. Somos hechos a la imagen de Dios y la comunicación es uno de sus atributos. El nos ha provisto del vehículo de autoexpresión, mediante el cual podemos comunicarnos. La persona que se cierra y teme expresar sus sentimientos e ideas, vive para sí misma.

Sin comunicación, las relaciones no pueden formarse y sólo mediante ella, puede desarrollarse la comprensión y la confianza entre dos personas.

Hay una solución a la barrera de la comunicación:

1. Agradece a Dios por ser creado a Su imagen; tú tienes la habilidad otorgada por Dios para comunicarte.

2. Comienza a compartir con Dios tus sentimientos más íntimos.

3. Retira tu mente del mundo de la fantasía y entra en contacto con la realidad.

4. Busca interés en común que puedas compartir con la gente.

5. Sé un buen oyente.

6. Busca a otros que estén luchando como tú y ayúdales a comunicarse.

La sexta barrera para las buenas relaciones es desconfiar de la gente. Después de haber sido herido y rechazado, uno instintivamente se retira como si otra trampa estuviera aguardando en la próxima relación.

Nuevamente, el miedo es un gran problema, éste se interpone como una barrera para la confianza; debe hacerse una elección entre los dos.

La confianza y el amor son ingredientes necesarios para cualquier relación. Son las cualidades más elevadas del alma. La persona que vive sin ellas es pobre y ha perdido la razón de vivir. Estas virtudes deben cultivarse y a medida que crecen, experimentaremos la libertad y el gozo de vivir.

Uno debe confiar antes de poder abrir el corazón ante otra persona. A través de heridas y rechazo uno aprende a cerrarse y mantenerse distante de los demás. Incluso ha llegado a creer , «Nadie podrá amarme sinceramente si me doy a conocer». Siempre subyace la convicción de no ser amado ni aceptado. La desconfianza se transforma en la alarma del corazón que avisa de un nuevo peligro ante el acercamiento de cualquier persona.

Hay para ello una solución:

1. Escoge abrir tu corazón a otros. Busca una persona que haya mostrado interés en tu bienestar y comienza a compartirle cosas abriéndole tu corazón.

2. Resiste el temor de ser traicionado. El temor tratará de hacer que cierres tu corazón.

3. Comienza a creer que alguien podría amarte.

4. Acércate a otros en fe.

5. Recibe de otros.

Nancy había caído en una profunda depresión; un sentimiento de temor y oscuridad le oprimían. En su temprana adolescencia había intentado suicidarse. Había llegado al fin de sí misma, y sentía que ya no podía confiar en nadie más. Era ya incapaz de abrirse y comunicarse. Ella describía su corazón como de piedra, incapaz de sentir. Las heridas y sufrimientos del pasado le llevaron a alejarse de todos. Ella no podía confiar en Dios, ni creer que El ni nadie pudiera amarla. Después de orar por sanidad interior ella comenzó a abrir su corazón. Su vida se transformó en amor, la dureza en ternura, la amargura y rencor en dulzura. Ella fue capaz de consagrarse a Dios y regresar a su ciudad natal para compartir su amor con otros. Cuando finalmente comenzó su relación matrimonial, la obra completa del amor de Dios en su corazón fue relevada.

Debemos aprender a confiar. He visto esto muy bien ilustrado por una gata perdida que venía todas las noches a nuestra casa para comer. Ella no permitía que nadie se le acercase, porque había sufrido una herida; su desconfianza y temor a la gente se veían en cada acción. Pero aún así, el hambre era más fuerte que su temor. Cuando yo decidí alimentarla, ella recibió la comida. Su temor se desvaneció; mostrando confianza y amistad, la confianza fue tan inmediata que a la mañana siguiente trajo a sus tres gatitos que esperaban en el porche para comer. Estos también tenían que aprender a confiar, si bien para ellos el proceso era más lento pues habían sido enseñados a temer. La gente es como estos gatos heridos y temerosos. Si ven la posibilidad de recibir a alguien, entonces la confianza tiene oportunidad de implantarse.

La séptima barrera para establecer buenas relaciones es la propia imaginación. El enemigo puede utilizar tu imaginación para retraerte tras tu muralla de protección. Cuando se ha sufrido el dolor del rechazo, hay una sensibilidad especial para captar cualquier indiferencia que proviene de otros. Esta será con seguridad interpretada como rechazo. La imaginación puede interpretar cosas tan pequeñas como palabras, gestos, actitudes o actos de tal manera que toda la opresión del rechazo invade al individuo.

El someter la imaginación bajo control es una batalla. La Escritura dice, *«Derribando argumentos y toda altives que se levante contra el conocimiento de Dios y llevando cautivo todo pensamiento a la obediencia a Cristo» (2a Corintios 10:5).* Tú debes hacer esto. Toma control de tu imaginación y rehúsa permitir que el enemigo traiga pensamientos de rechazo a tu mente. No permitas que tu descanso en el Señor sea estorbado.

Elena vivía atormentada por imaginar lo que los demás pensaban de ella. Habiendo sufrido abuso de manera vergonzosa y tenido vínculos que destruyeron su autoestima como persona, ella tenía dificultad para aceptarse a sí misma o creer que alguien pudiera aceptarla. El miedo le embargaba totalmente si ella tenía que hablar frente a otros.

Aún el compartir en grupos pequeños se le hacía imposible. Cada vez que comenzaba a desarrollar una relación con algún joven, el temor ocupaba su imaginación con pensamientos de indignidad y rechazo. Ella encontró salida a esta situación, al recibir sanidad y perdón del Señor permitiéndole que El la transformara en una nueva persona.

Dios te hará diferente si le das tiempo. El Señor le ha colocado ahora en una posición en que ella debe hablar con gente continuamente. Algunas veces le es difícil, pero Dios le está ayudando a superarlo.

Como conclusión recuerda que *«es Cristo en ti, la esperanza de gloria» (Colosenses 1:27).* El es quien hace la diferencia. Ha venido a extender Su reino en todas las áreas de tu vida.

Cuando el enemigo te ataca, reconoce que Cristo está extendiendo Su reino y dominio en otra área de tu vida. Cuando el enemigo se levante contra ti no trates de vencer por medio de tu voluntad; será en vano. No intentes usar la lógica y la persuasión, ya que él te convencerá de su mentira. Cuando el enemigo viene, enfréntalo a Aquel que gobierna y reina en ti, diciéndole «lleva eso a Cristo; El te responderá». Mientras tú mantengas tu posición en Cristo, el enemigo no podrá moverte. Deja al Señor pelear en la batalla.

La salida está en:

1. Poner custodia a tus pensamientos. Reconoce que estás sujeto a ser engañado por el enemigo.

2. No permitir al enemigo usar tu imaginación para burlarte y atormentarte.

3. Rehusar expresar lo que te imaginas a otros.

4. Refugiarte en Cristo. El es tu protector. En El no hay rechazo y puedes descansar.

5. Dejar al tiempo pasar, y el Señor te mostrará la verdad de la situación.

6. Continuar relacionándote con la gente y no permitir que el enemigo cierre tu corazón.

7. Entregar todos tus rechazos al Señor; deja que El los cargue. Recuerda que El ya los llevó una vez para que no tuvieras que hacerlo tú, y se levantó victorioso sobre ellos.
8. Alimentar pensamientos de amor hacia aquellos que tu imaginación ha acusado de rechazo.

9. Resistir todo pensamiento de crítica.

10. Conservar siempre el terreno ganado; nunca retrocedas.

La octava barrera para la formación de buenas relaciones es el ser posesivo o dominante.

Quien sufre de rechazo tiende a apropiarse de la persona y sujetarla, elaborando su vida entera en derredor de ésta. De tal relación posesiva surgirá aún una mayor herida, ya que el otro individuo no podrá satisfacer todas las expectativas ni cubrir todas la necesidades. Los celos y el dolor surgen si la persona busca amistad fuera de ese estrecho vínculo. Esto no es justo para ti ni para la persona implicada. Guárdate de mayor dolor. No construyas tu vida alrededor de una persona. La solución para esto:

1. No bases tu vida en una persona. Establece con Dios una fuerte relación y extrae de El tu vida.

2. Aprende a dar, más que recibir.

3. Permite libertad a tus amigos; no los tengas sujetados ni sofocados.

4. Desarrolla intereses fuera de la relación inmediata, tales como un hobby, actividades en la iglesia, escuela, etc.

Capítulo 8
Sanando a la Mujer en la Relación Matrimonial

La suprema y más íntima relación en la que una persona puede participar es el matrimonio. Este estuvo presente en el plan de Dios, ya que el hombre no fue creado para vivir solo.

Profundamente en el interior de toda persona yace el deseo de unirse en matrimonio ya que el hombre es una criatura de relación.

El pecado y las consecuencias de la caída introdujeron una serie de factores en el mundo del ser humano haciéndole una criatura de relaciones destruidas. Culpa, condenación, indignidad, rechazo, desconfianza y autorechazo se activaron dentro del alma humana, e inmediatamente desarrolló problemas para comunicarse.

Su relación con Dios se ensombreció con el temor y la culpa; el hombre se escondió de Dios. No había más deseo de comunicarse. Su ser más íntimo se cerró por miedo al rechazo y la condenación.

Los ojos del hombre se enfocaron sobre sí mismo y pudo ver que estaba desnudo, cubriéndose con hojas de higuera. Desde entonces, el temor a ser conocido y el intentar cubrirse caracterizaron al ser humano. Los hombres pasan toda su vida tratando de cubrirse a sí mismos pero en las hojas de higuera no está la respuesta. Temor, inseguridad, culpa, soledad, ansiedad y frustración describen a la persona que teme a la intimidad. Relacionarse con este tipo de individuo se vuelve muy difícil porque no puede haber verdadera comunicación y entendimiento. Ha elaborado una «fachada» que impide que se le conozca como realmente es.

El matrimonio precisamente despoja de esta máscara para permitir que otra persona le conozca como es en realidad. Yo creo que en verdad toda persona desea ser auténtica, pero el temor al rechazo le lleva a cubrirse. Cuando uno decide comprometerse en una relación matrimonial, está dispuesto a enfrentarse a sí mismo y a sus problemas, y a través de este vínculo, permitir que Dios le traiga a la madurez y libertad en su vida.

La necesidad de amor no indica necesidad de comprometerse en matrimonio. El rechazo es el factor más mutilador en la relación matrimonial. La niña que ha sufrido al ser rechazada por su padre, debe prepararse para conflictos en las siguientes áreas: primeramente, una imagen de sí misma negativa que trae u origina temor a ser conocida. Por no haber tenido el amor y aceptación de su padre, ella duda de que otra persona pueda realmente amarle. Esta es la gran interrogante que le asalta cada vez que considera la posibilidad de casarse. El temor de no poder quizá satisfacer a su esposo, hace que ella evite cualquier relación seria. Ella se pregunta si su cuerpo será aceptable a su esposo, si podrá alguna vez abrirse en franca comunicación. Y si un hombre la conociera como ella realmente es, ¿podría amarla? El problema del autorechazo puede crear conflictos en la preparación para el matrimonio.

Antes de casarse, cualquier señorita debe resolver los conflictos en estas áreas, recibiendo sanidad y estableciendo comunicación con su padre. El hecho de ser hija antes que esposa, representa una buena capacitación para el matrimonio.

Si es posible, recibe el amor de tu padre; si no, permite que el amor de tu Padre Celestial te sane.

En el matrimonio, el esposo debe estar alerta de las necesidades básicas de su esposa. Debe estar también familiarizado con sus antecedentes, que le darán a él información sobre cuáles son sus verdaderas necesidades.

Si ella ha sufrido el ser rechazada cuando niña, necesitará una alta dosis de seguridad y comunicación en la relación matrimonial. El esposo cumplirá una función importante en el proceso de curación.

Debe amarla como el Señor amó a la iglesia y se entregó a Sí mismo por ella. Debe de hacer todo el esfuerzo extra, necesario y posible, para que su esposa se sienta segura en la relación.

Si tú eres esposo de una mujer que ha sufrido de rechazo, no te desalientes por momentos de temor e introversión; Dios continuará estando en tu ayuda. Comunícale amor y aceptación. Ella necesita escuchar esto en forma intermitente durante el día, no solamente en el lecho matrimonial. Necesita saber que le amas a ella, no sólo a su cuerpo. Sé sensible a sus necesidades.

Si ella ha sufrido por tener una autoimagen pobre y negativa, haz todo lo posible para fortalecerla. Fíjate en aquellas cosas que hace bien y destaca los aspectos positivos de su carácter. Ella te amará tremendamente por esto. Nunca la critiques a menos que se entienda claramente que no la estás rechazando. Si haces sugerencias para que mejore, házlo siempre en privado y en espíritu de amor. Sé extremadamente cuidadoso de no mostrarle rechazo, ya que esto la llevaría a encerrarse en sí misma y retornar a sus antiguos temores. Nutre y edifica tu relación matrimonial diariamente; házla lo suficientemente firme como para que ella sepa que nada podrá destruirla.

Tendrás así una esposa amante que se dará a ti devotamente.

Si surgieran algunos temores, permanece junto a ella en estas áreas. Tu presencia y comprensión le ayudarán a liberarse. No le insistas ni critiques; permite que el Señor trabaje en la situación. Mientras, ofrécele tu completo apoyo; oren juntos, permanezcan juntos y juntos obtendrán la victoria.

Miguel vino a contarme que tanto su primer matrimonio como su reciente segundo compromiso, habían sido destruídos, sin conocer él la causa. Me describió su actitud de crítica diciendo: «Todo lo que ella hacía me irritaba. Yo parezco criticar más a la persona cuando más le amo». Después de conversar sobre su pasado, surgió muy claramente que la crítica era también hacía sí mismo, expresando esa misma actitud hacia su ex-esposa y novia. Ninguna relación puede permanecer firme con este elemento. Su actitud crítica se desarrolló a partir de ser rechazado y tener una pobre imagen de sí. Para compensar esta deficiencia se esforzaba tras el logro de méritos y de esta manera ganaba respeto por sí mismo. Esta auto-demanda, pasó a ser también demanda hacia su esposa, incitándola al logro de méritos. La amaba tal como se amaba a sí mismo.

Esto nos hace concluir que uno amará a su esposa como se ama a sí mismo. Sin amor por uno mismo, no puede haber amor por la esposa; la tratará de la misma manera como se trata a sí mismo.

El autodesprecio es un elemento mortífero en el matrimonio, pues si el esposo siente así con respecto a él mismo, transmitirá esto de igual manera a su cónyuge. Esto puede traer una presión insoportable sobre la relación, y si la esposa igualmente ha sufrido el rechazo, esto se agregará en el matrimonio.

De modo que es necesario que un hombre se ame a sí mismo correctamente y ame a su propio cuerpo, para que sea capaz de amar a su esposa correctamente.

Deja de sentir culpa por relaciones del pasado. Sólo cuando la culpa ha sido eliminada, puedes ser libre para comprometerte en matrimonio. Libérate de la condenación del pasado. Presenta tus pecados pasados ante Dios; recibe Su perdón, y luego perdónate a ti mismo.

La última parte es especialmente importante. Si tú no te puedes desligar de tu pasado, cuesta creer que Dios lo hará. Las dos partes deben ir juntas. Humíllate y deja de lado tu orgullo, de modo que la plenitud y tierno cuidado de Dios sean tuyos.

Házte el claro propósito de que la lascivia no tendrá cabida en esta relación y que el compromiso de matrimonio que estás por hacer es para toda la vida.

Esto nos lleva al punto siguiente: la relación matrimonial está basada en un compromiso de entrega. No hay cláusula de anulación o planes de escape si las cosas no marchan como se esperaba; éste es un compromiso de por vida. Este es un concepto que ha perdido significado en nuestros días en que el divorcio es considerado como la solución a cualquier situación de infelicidad cuando la gente no está dispuesta a enfrentar sus problemas ni a pagar el precio para solucionarlos. En consecuencia, debido a la falta de compromiso, tenemos una generación de vidas fragmentadas y destruídas.

La entrega comprometida dice: «Yo permaneceré contigo en lo mejor y en lo peor; yo me comprometeré al logro de tu felicidad y nunca te abandonaré; te prometo mi amor para siempre».

Este es el amor que fluye de lo alto, comprometido y constante. No importa el problema o situación, el amor es autosacrificio, dispuesto a dar lo que sea necesario para ayudar al otro.

La Escritura dice: *«Maridos, amad a vuestras mujeres, así como Cristo amó a la iglesia, y se entregó a sí mismo por ella» (Efesios 5:25).* Aquí tenemos el ejemplo del amor y compromiso, El se entregó a sí mismo hasta la muerte por ella. El nunca abandona. Se entrega hasta morir.

Ya hemos tratado acerca del amor que elimina el rechazo y el odio, y de la entrega comprometida que borra toda inseguridad y temor. Ahora trataremos sobre los roles en el matrimonio.

Si cualquiera de los dos cónyuges proviene de un hogar destruído o con confusión de roles, puede arrastrar esto a su propio matrimonio. Mientras que, por otro lado, matrimonios buenos y sanos como antecedentes del hogar de ambos, representan un fundamento sólido sobre el cual basar la relación matrimonial. Uno debe estar alerta de esto y tomar las precauciones necesarias al casarse.

El divorcio siempre inflige daños permanentes. Si un niño acarrea resentimiento, odio y rechazo de cualquiera de sus padres hacia el matrimonio, creará múltiples problemas.

Es necesario ser sanado y liberado del pasado.

Una señorita que estaba haciendo preparativos para su boda,

se quejaba de que le costaba mucho confiar en los hombres. Su padre había traicionado a su madre y luego se divorció de ella, casándose nuevamente. Ahora, preparándose la joven para comenzar su matrimonio, la herida del divorcio de su madre se abría ante ella. «¿Puedo confiar en algún hombre?» se preguntaba.

Otra situación que puede ser consecuencia de las relaciones paternales es la confusión de los roles maritales. Si una madre ha si- do dominante en el hogar, tomando todas las decisiones, esto puede causar un problema en la relación matrimonial. Debe existir un entendimiento del orden bíblico para el hogar, a fin de que ambos cónyuges puedan sentirse cómodos y entiendan el rol de cada uno.

Una pareja joven vino en busca de consejo, destrozada por conflictos de roles en la relación. El esposo asumió el rol dominante, demandado tal sumisión, que privó a la esposa de libertad para tomar decisiones o responsabilizarse por cualquier cosa, excepto de cocinar y limpiar la casa. Ella ya no se sentía más una persona, sólo una mera sirvienta. Esta era un área sensible en ella ya que anteriormente sus padres le habían restringido de la misma manera y ella guardaba amargura.

Las quejas respecto a su esposo eran muchas (indicando inmadurez y falta de comprensión de su parte), tales como no confiarle a ella el hacer decisión alguna, no permitirle manejar finanzas en absoluto, demandarle sumisión completa, y no dedicar tiempo para estar con ella y los niños.

Hay seis pasos hacia la solución de este problema.

- Primero, la esposa necesita que se le dé dinero para gastos varios y necesidades personales. Es un error pretender que ella pida para estas cosas.

- Segundo, ella necesita libertad para decidir sin temor al disgusto o al desacuerdo. Las cuestiones que afectan a la familia deben decidirse de común acuerdo.

- Tercero, poder gastar dentro de los límites de un presupuesto y así edificar su autoconfianza en el manejo de las finanzas.

- Cuarto, discutir con la esposa los planes y necesidades de la familia.

- Quinto, dar a la esposa libertad en la casa. Este es su dominio; ella necesita tener libertad para planear, arreglar y hacer cosas.

- Sexto, el esposo debe unir su corazón al de su esposa. Darle amor y la atención que necesita. Evitar el exceso de las actividades fuera de la familia. La relación matrimonial requiere madurez. El permitir que cada cónyuge cumpla con sus roles respectivos y desarrolle su identidad propia, proporciona madurez.

Uno debe reconocer que Dios no toma a dos personas que sean exactamente afines en cada aspecto y las pone juntas. En lugar de ésto, El toma gente que es diferente en muchos aspectos y los coloca juntos para que se complementen el uno a otro. Uno será débil en un punto donde el otro sea fuerte y cada uno fortalecerá al otro, de modo que cada uno se convierta en una persona fuerte debido al matrimonio.

En la medida en que una mujer haya encontrado identidad propia y aceptación en su padre, las encontrará ahora en su esposo. Ella crece y madura como persona en la seguridad de la relación matrimonial; establece la atmósfera del hogar con sus actitudes, devoción, etc.; es la tierra en la cual crece la familia.

El esposo debe ser el invernadero que proporcione protección a la familia. Cada uno de ellos contribuye para dar vitalidad a las plantas que están creciendo.

Capítulo 9
Sanando al Hombre en la Relación Matrimonial

Jaime era un hombre de éxito en el mundo. Su profesión lo colocó en un rol de liderazgo ante la gente. Era decidido y responsable. Se llevaba bien con la gente, y la comunicación parecía no ser problema para él. Proyectaba una imagen de confianza y éxito, dando la apariencia de ser un triunfador.

Sin embargo, la moneda tenía dos caras. En su hogar, él era lo opuesto a lo que era en el mundo. El liderazgo era asumido por su esposa, y él estaba conforme con ser pasivo y disfrutar de sus placeres privados.

La comunicación también era lo menos importante; la televisión lo atraía más que su esposa y familia. Este exitoso hombre de mundo había renunciado a todo liderazgo y responsabilidad en su hogar.

Su esposa se quejaba de abandono, indiferencia y falta de amor. Ella estaba hastiada de la pasividad y existencia impersonal de su esposo. De hecho, ella decía que no conocía bien a su esposo, debido a que la personalidad de éste cambiaba de acuerdo a la personalidad del amigo con quien él se estaba comunicando, mientras que en la casa era completamente vacío.

¿Quién era éste hombre con el que ella se había casado? ¿Cómo podría ella penetrar en el mundo de su esposo? Ella estabasufriendo de desaprobación, menosprecio, heridas y amargura. Su matrimonio se había vuelto intolerable.

Muchos hombres, como Jaime, parecen exitosos fuera, pero

dentro del hogar son pasivos, indiferentes y no comunicativos. ¿Qué causa este cambio de roles?

En el caso de Jaime era una raíz de rechazo, que venía desde su niñez, y una pérdida de identidad propia. En su mente él se había él se esforzaba por encontrar su rol. En el mundo él se había conducido para ocupar un puesto que lo llevara al éxito. Su habilidad para adaptarse y ser flexible le permitió encontrar amigos. Todo ésto él lo construyó a partir de la nada. Sin embargo, su relación en el hogar debía ser construida sobre el fundamento de su propia valía personal. Su juego de roles fue sustituido por un rol más pasivo de responsabilidad hacia su familia, que en realidad implicaba un abandono. El manejo de las finanzas, la disciplina de los hijos y la mayoría de las decisiones se las había dejado a su esposa.

¿Qué debe hacer una esposa en esta situación?

- Primero, reconoce la raíz del problema. Jaime provenía de un hogar en donde su padre comunicaba poca aceptación. Mientras sus hermanos iban al bosque a trabajar, él tenía que permanecer con su madre y ayudarla en la casa. El hecho de que sus padres desearon una niña en lugar de un niño no le ayudaba a encontrarse a sí mismo, y el tener que llenar el rol de una niña trajo como consecuencia una pérdida de identidad propia.

  La falta de aceptación de su padre suministró la tierra para que creciera la raíz de rechazo, la cual produjo autorechazo. Consecuentemente, él no podía comunicar amor a su esposa. Su falta de identidad propia hizo que su esposa sintiera que no le conocía.

- Segundo, enfréntate con las heridas y la frustración. Habiendo reconocido la raíz del problema, libera a tu esposo de todas tus frustraciones y expectativas. Permite que el perdón sea tu actitud hacia él y desecha la amargura interior. Sólo entonces habrá el terreno propicio para la comunicación y el cambio. Toma la iniciativa.

- Tercero, permite que el Señor desarrolle en ti una actitud de amor y aceptación. Esto creará una respuesta; sin embargo sé paciente, pues en el comienzo ésta será débil. Esto le da a Dios oportunidad para trabajar en tu bienestar. La comunicación podrá fluir nuevamente.

- Cuarto, derriba conscientemente la autoimagen negativa que ha surgido del rechazo. Haz todo lo posible para restaurar su auto- estima. Habla de cosas positivas que sean elogios a su persona y muéstrale tu amor y respeto. Enfatiza los puntos fuertes y positivos de su persona. Siempre mantén en mente el mandato escritural cuando hables con él o acerca de él, *«Por lo demás, hermanos, todo lo que es verdadero, todo lo honesto, todo lo puro, todo lo amable, todo lo que es de buen hombre; si hay virtud alguna, si algo digno de alabanza, en esto pensad.»* (Filipenses 4:8).

Sé una persona amante, tierna, considerada y atenta, y desarrollarás un hombre que te amará, cuidará de ti y te tratará como a una reina.

- Quinto, transfiere gradualmente la responsabilidad del hogar a tu esposo, rehusando hacer decisiones que él necesita hacer. Amablemente, pero firme, coloca mayor responsabilidad por los hijos y por su disciplina en sus manos. Háblale de las cosas en la casa que requieren de su atención. Claramente explícale el problema y rehusa regañarlo si el trabajo no es hecho inmediatamente.

- Sexto, haz aquellas cosas que él disfruta. Cocina sus comidas favoritas, dale una atención especial. Haz de él la persona más importante en el hogar. Deja que él sepa que es importante para ti. Encuentra maneras de agradarle y de mostrarle tu respeto y admiración. Haz que el tiempo de traslado de su trabajo a casa sea de gozosa expectación; arréglate tú misma y espera con ansia su regreso.
  Comunícales amor, respeto y felicidad a tus hijos por haber recogido sus juguetes y haberse bañado, e implanta una emoción de alegría en ellos con palabras como, «¡Ya viene papi a casa!» Haz esto cada día. No lo recibas en la puerta con problemas. Estos pueden esperar hasta después de haber comido.

- Séptimo, no seas egoísta en tu actitud. Tú tienes una alternativa: Puedes pensar en función de tus necesidades y frustraciones, o puedes elegir cambiar las situaciones siendo una esposa amorosa, que perdona. Dale atención, date tú misma, y ésto volverá a ti con muchos dividendos. Esto no significa que se perderá tu identidad propia en él, sino que tú edificarás su identidad propia.

- Octavo, no te promuevas a tí misma. En estos días de «igualdad de derechos», un espíritu competitivo por parte de la mujer puede causar que el hombre se retraiga aún más en una pasividad y falta de comunicación. El se sentirá amenazado e intimidado por la mujer que ha determinado tomar su lugar. Al promover a tu esposo, te promoverás a ti misma. El no puede ser el hombre de tus sueños si tú tomas la preeminencia.

Capítulo 10
Sanidad Interna

El Señor es el Gran Médico. El mismo sufrió nuestros dolores y llevó nuestras enfermedades, y *«por su llaga fuimos nosotros curados» (Isaías 53:4-5).* Hay sanidad en el Señor. El vino para *«predicar buenas nuevas a los abatidos... a vendar a los quebrantados de corazón... a proclamar el año de la buena voluntad del Señor»*
(Isaías 61:1-2). El «año de la buena voluntad del Señor» es el Año de Júbilo cuando todas las deudas fueron canceladas, toda la tierra retornó a los propietarios originales y los esclavos fueron libres de la servidumbre.

¡Gloria a Dios! Un continuo Año de Júbilo ha sido proclamado por la venida de nuestro Señor Jesucristo. Tus pecados han sido perdonados, tienes una herencia que poseer. Tu vida no debe estar más bajo el yugo de esclavitud. Cuando el Señor viene a tu vida, El te trae liberación de tu prisión. Las Escrituras continúan diciendo que El dará «gloria en lugar de cenizas, óleo en lugar de luto, manto de alegría en lugar de espíritu angustiado» (Isaías 61:3). La hermosura, el gozo y la alabanza pueden ser tuyos conforme recibas el torrente sanador de Su amor.

El dice, *«He aquí, Yo estoy a la puerta y llamo; si alguno oye mi voz y abre la puerta, entraré a él, y cenaré con él, y él conmigo» (Apocalipsis 3:20).* El espera que tú abras la puerta y le invites a entrar. Su presencia y amor traen sanidad a tu alma. Un autor bíblico escribe, *«Me llevó a la casa del banquete y su bandera sobre mí fue amor» (Cantares 2:4).* El preparará una mesa para aquellos en soledad y en prisión que se sienten no amados e indeseados. El pondrá la bandera de Su amor sobre ti.

Su amor es incondicional; El te ama y te acepta tal como eres. No tienes que ser lo suficientemente bueno ni tienes que ganar Su amor por medio de obras. El te acepta así como eres. El te dará «hermosura por cenizas». Permítele que sea tu Sanador. Su presencia y amor te sacarán de tu prisión.

Así como El te ha perdonado, perdona libremente a aquellos que te han ofendido. Desecha todos los resentimientos que has venido cargando por tanto tiempo. Suelta a aquellos que te han herido, y Dios te liberará de la herida. Experimenta la liberación del perdón.

Escoge amar. Jesús dijo, *«Un mandamiento nuevo os doy: Que os améis unos a otros; como yo os he amado, que también os améis unos a otros» (Juan 13:34).* De la misma manera en que tú has recibido el amor incondicional de El, ama a los demás incondicionalmente. Amalos tal como son; abre tu corazón. Cerrar tu corazón es comunicar rechazo, el rechazo es una forma de odio. ¿Cómo puedes caminar en compañerismo con El y odiar a tu hermano? Ciertamente aquel que ha odiado en su corazón camina en tinieblas (1a Juan 2:11). Abre tu corazón, escoge amar y caminar en la luz de su amor y presencia. Sólo entonces encontrarás sanidad para tu alma.

Suelta el pasado. Invita al Señor a que te guíe a experiencias pasadas que fueron dolorosas y permite que te ministre sanidad y amor en esa situación. El es el mismo «ayer, y hoy, y por los siglos»
(Hebreos 13:18). El es capaz de entrar en tus «ayeres» y traer sanidad a tu pasado. Conforme Su presencia y amor te cubren en esa situación, experimentarás sanidad y liberación.

Una jovencita que nunca había experimentado el amor y la aceptación de su padre, pidió al Señor que le permitiera verse como cuando era pequeña. Ella se vio a sí misma sentada en las rodillas de su padre y experimentó, por vez primera, el amor y la aceptación de él El corazón de esta joven fue sanado, y ya no tuvo que vivir más con el vacío y ansiedad por su amor. Esto le permitió aceptarse a sí misma y encontrar un sentido de dignidad, por lo que ella pudo creer que alguien le amaba.

Cualesquiera que sean las necesidades no cubiertas que vengan de tu pasado, el Señor puede llenarlas. El puede sanar tus heridas. Tú puedes ser libre del pasado. El puede restaurar todo lo que el enemigo ha destruido. *«Mas yo haré venir sanidad para ti, y sanaré tus heridas, dice el Señor; porque desechada te llamaron, diciendo: Esta es ____________________, de la que nadie se acuerda» (Jeremías 30:17).* Coloca tu nombre en el espacio y recibe tu sanidad. Dios hará cosas nuevas en tu vida conforme tú recibes y experimentas la nueva vida fluyendo dentro de ti. Habiendo experimentado Su liberación, no te permitas a ti mismo *«ni traigáis a memoria las cosas antiguas. He aquí que yo hago cosa nueva; pronto saldrá a luz; ¿no la conoceréis?» (Isaías 43:18-19).* Espera que nuevas cosas vengan a tu vida. Su presencia trae vida nueva. ¡RECIBELA!

Made in United States
Orlando, FL
22 March 2024

45045526R00043